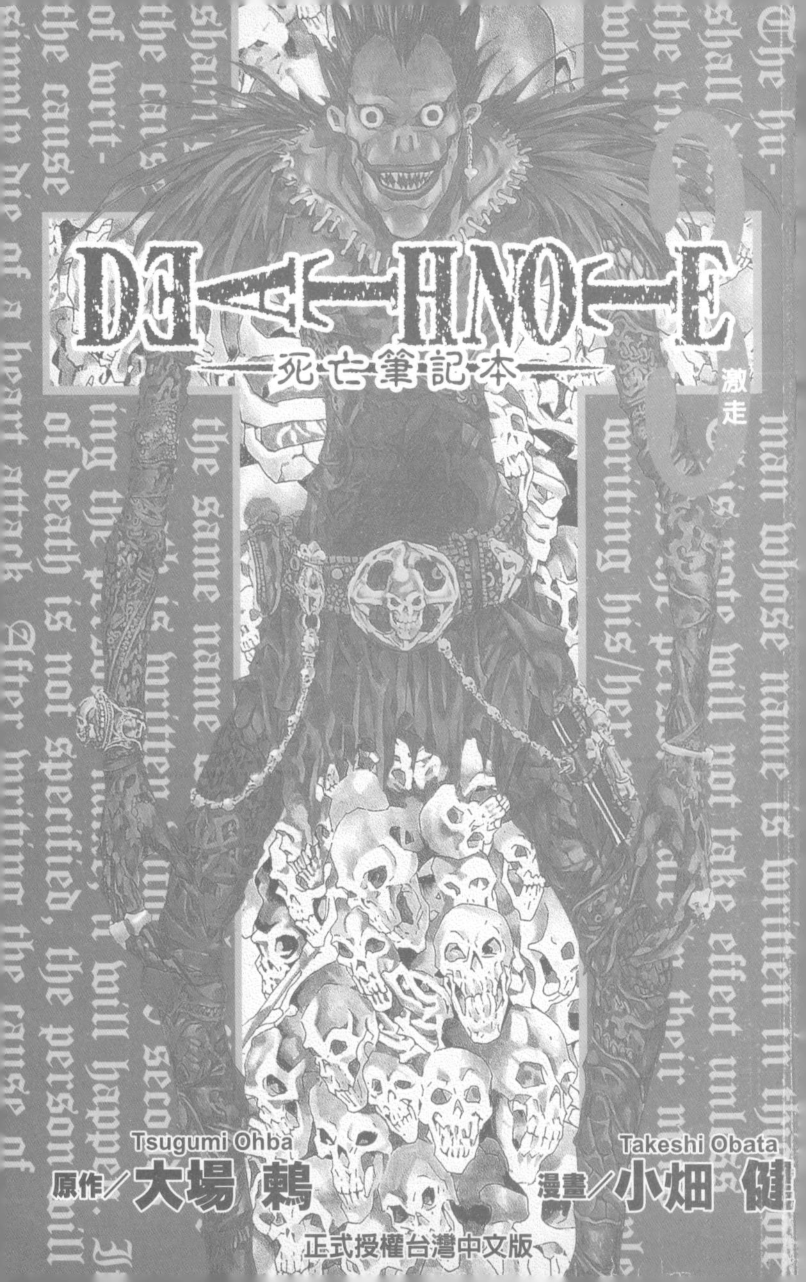
DEATH NOTE
死亡筆記本
6
激走
Tsugumi Ohba
原作／大場 鶇
Takeshi Obata
漫畫／小畑 健
正式授權台灣中文版

DEATH NOTE

★本故事純屬虛構，
與實際人物、團體、故事無關。

DEATH NOTE
死亡筆記本
3
激走
原作／大場 鶇
漫畫／小畑 健

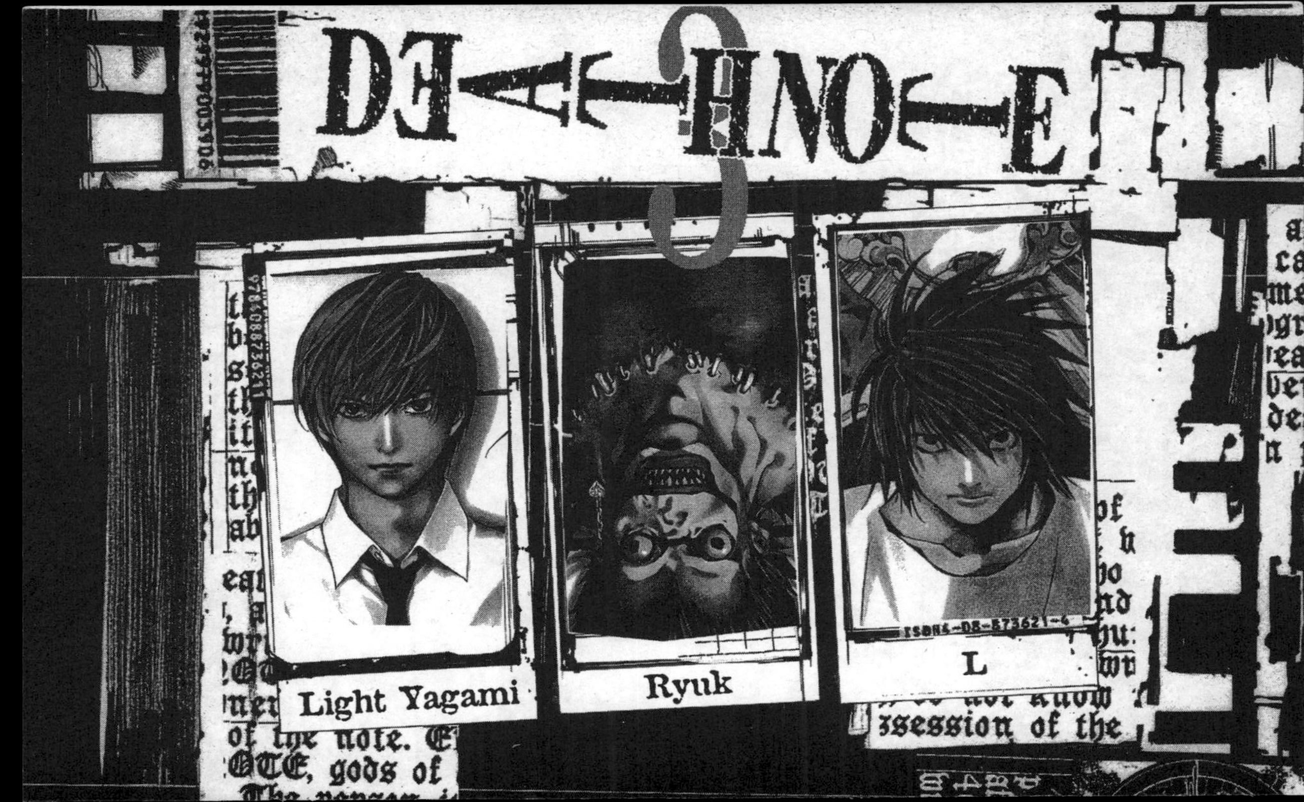
DEATH NOTE
3
Light Yagami
Ryuk
L

『姓名被寫在這本筆記本上的人類會死』…成績優秀的高中生・夜神月，撿到死神路克掉落人間界的『死亡筆記本』。月在半信半疑之中開始使用，結果真的有人因此死亡。不過，月為了創造一個自己理想的社會，他決定利用死亡筆記本肅清凶惡的罪犯。在犯罪者接二連三的死於意外之後，一名叫做「Ｌ」的神秘人物出現，調查這一連串的事件。他透過電視，宣告「絕對會逮捕兇手！」。而月也接下這份挑戰。兩人之間的對決就此展開…

月利用死亡筆記本殺死所有ＦＢＩ的搜查官。但其中一位探員雷・潘伯的未婚妻對巴士劫持事件起疑，她卻碰巧在警視廳遇到月。在月的誘導之下，最後她還是說出了自己的本名，被月給除掉。雷・潘伯的死因有許多疑點，Ｌ決定在北村及夜神家裝設竊聽器和監視攝影機。不過月馬上發現自己的房間已經遭人入侵…兩個人的對決透過攝影鏡頭繼續下去！

DEATH NOTE 3

激走

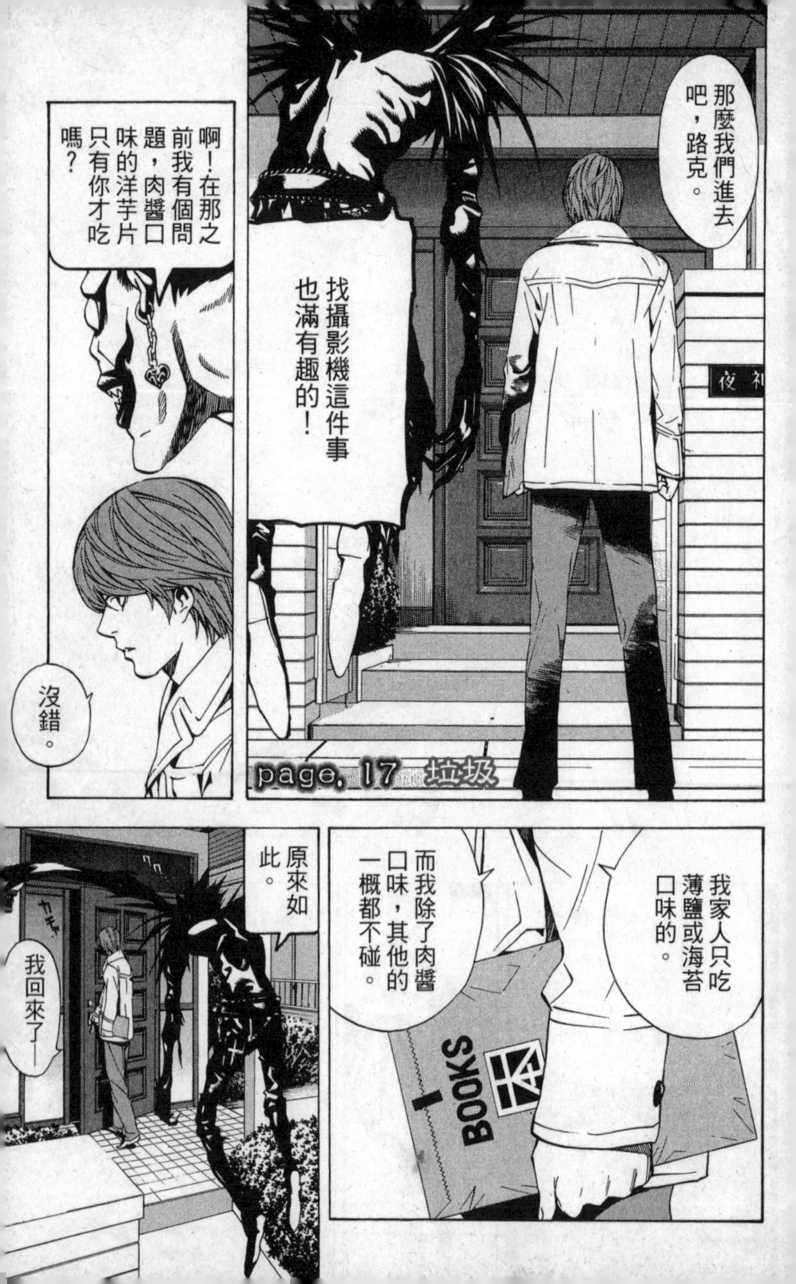
那麼我們進去吧，路克。
找攝影機這件事也滿有趣的！
啊！在那之前我有個問題，肉醬口味的洋芋片只有你才吃嗎？
沒錯。
page. 17 垃圾
我家人只吃薄鹽或海苔口味的。
而我除了肉醬口味，其他的一概都不碰。
BOOKS
原來如此。
我回來了——

page. 17 垃圾
我…我那正經八百的兒子，竟然會看那種雜誌…
就十七歲來說，這是很普通的事…
不過…
在我看來…
這不過是在解釋「他之所以確認有沒有進入他房間，是因為藏有這種書的關係。」……
104

…………
不對…我得快點去找攝影機…
龍…龍崎，難不成…你還在懷疑我兒子？
當然囉…所以才會在你家跟次長家裝設竊聽器跟攝影機啊。
……

冷氣機裡找到攝影機。
!
果然真的有裝攝影機，
這麼說的話，應該也有竊聽器…
就算是為了搜查奇樂，想不到日本警察會擅作主張做這種事。
是L指示的嗎…？
如此一來，到底已經鎖定哪些人了呢？
唉——又被封面給騙了…
最起碼，如果沒鎖定「雷・潘伯調查過的其中哪些人」，他是不會出這種下策的…
パタ

不，這樣的話…那雷・潘伯調查過的對象，家中都會裝攝影機。
有可能做到那種程度嗎？就一般來說，那是不可能的，範圍應該更小才對…
不對！思考有幾個人被鎖定根本就毫無意義。
這個時候應該假設只有我遭到懷疑，並且被監視才對。
世界の建築家
沒關係，為了應付這種情況，我甚至已經準備好這種書了…
因此先做好事前準備的我是贏定了！
在裝攝影機的時候，人員有簡單搜過你家。
但似乎忽略了那裡有藏清涼寫真集呢。
……
我早就把罪犯死亡的情況，提早三個禮拜寫在死亡筆記本裡。
可是這也暗示L「奇樂能操縱死亡的時間」。
因此要想在這種情況跟L鬥的話…

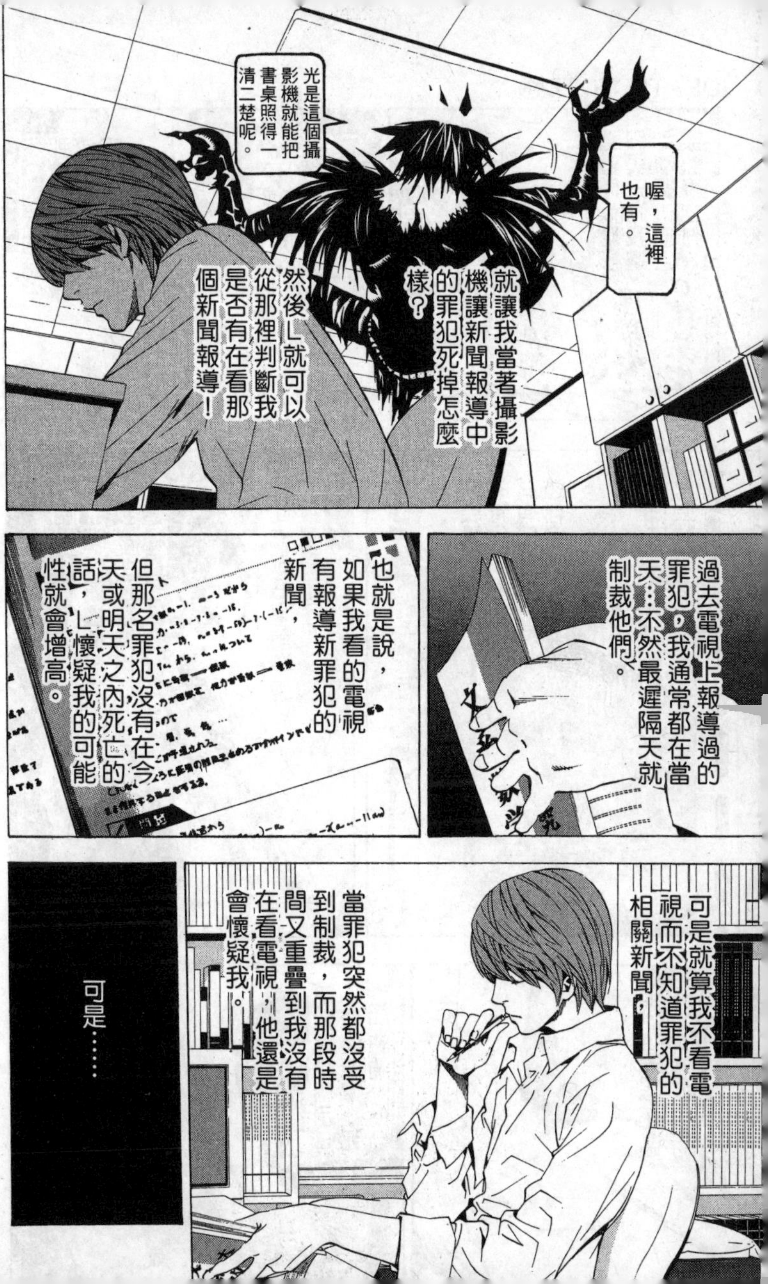

喔，這裡也有。
光是這個攝影機就能把書桌照得一清二楚呢。
就讓我當著攝影機讓新聞報導中的罪犯死掉怎麼樣？
然後L就可以從那裡判斷我是否有在看那個新聞報導！
過去電視上報導過的罪犯，我通常都在當天…不然最遲隔天就制裁他們。
也就是說，如果我看的電視有報導新罪犯的新聞，
但那名罪犯沒有在今天或明天之內死亡的話，L懷疑我的可能性就會增高。
可是就算我不看電視而不知道罪犯的相關新聞，
當罪犯突然都沒受到制裁，而那段時間又重疊到我沒有在看電視，他還是會懷疑我。
可是……

如果我不碰電視或電腦，完全沒有情報來源的時候，卻又能讓剛報導的罪犯死掉，這會怎麼樣呢？
他就只能判斷「夜神月不是奇樂」！
沒錯！L明知道「奇樂殺人需要看到下手的對象！而他的情報來源全來自電視或上網。」
而我沒有得到任何情報，但罪犯卻一一死去，這樣就能證明我是清白的！
等著瞧吧！L！
哥哥，吃飯了唷！
月，我就留下來把你房裡的攝影機全找出來。
我已經找到六個了。
カチャ

妳又在看歌唱節目？偶爾看一下新聞啦，粧裕。
人家早樹很帥耶！
哥哥也找個偶像來迷啦！
謝啦，粧裕…要是現在就轉到新聞台，那我的努力就白費了。
相澤先生，北村家正在看電視嗎？
是的，
除了次長以外的四個人正邊吃飯邊看第四頻道的電視。

嗶！
渡，指示各家電視台播放那則新聞快報。
知道了。
☆NHK新聞快報☆
啊，是新聞快報。
針對奇樂事件，ICPO決定從各先進國家派遣一千五百名的搜查員到日本。
一千五百人耶，好多哦…
……
……客廳裡面應該也有裝攝影機才對…
不管這則新聞是真是假，他是想看我會有什麼樣的反應嗎？L…這手法跟剛開始的時候一模一樣啊。

ICPO也真笨。
咦？
一旦發表出來就沒意義了嘛，既然要派人就該偷偷派，然後私底下做搜查才對。
連秘密進行搜查的FBI都遭到那種毒手了，這樣不是重蹈覆轍嗎？
啊，對喔！說得也是，真不愧是哥哥。
所以這樣大肆報導，應該是警察想動搖奇樂的戰術。
不過這是不是也表示奇樂快原形畢露了？
你兒子很聰明呢…
咦？
是啊…謝謝稱讚…

我吃飽了。
真快。
カタッ
天哪，哥哥剛吃完飯就要吃洋芋片？難得保持的好身材會變形喔——
我是要拿來當唸書的宵夜。
カチャ
月…攝影機應該全找出來了，
想不到死神過度努力也會累呢……
啊…那我就用說的告訴你攝影機的位置跟鏡頭方向…
可能會難記了點，不過你還是好好記清楚，我可不想再解釋第二次。
好，要開始努力用功了！

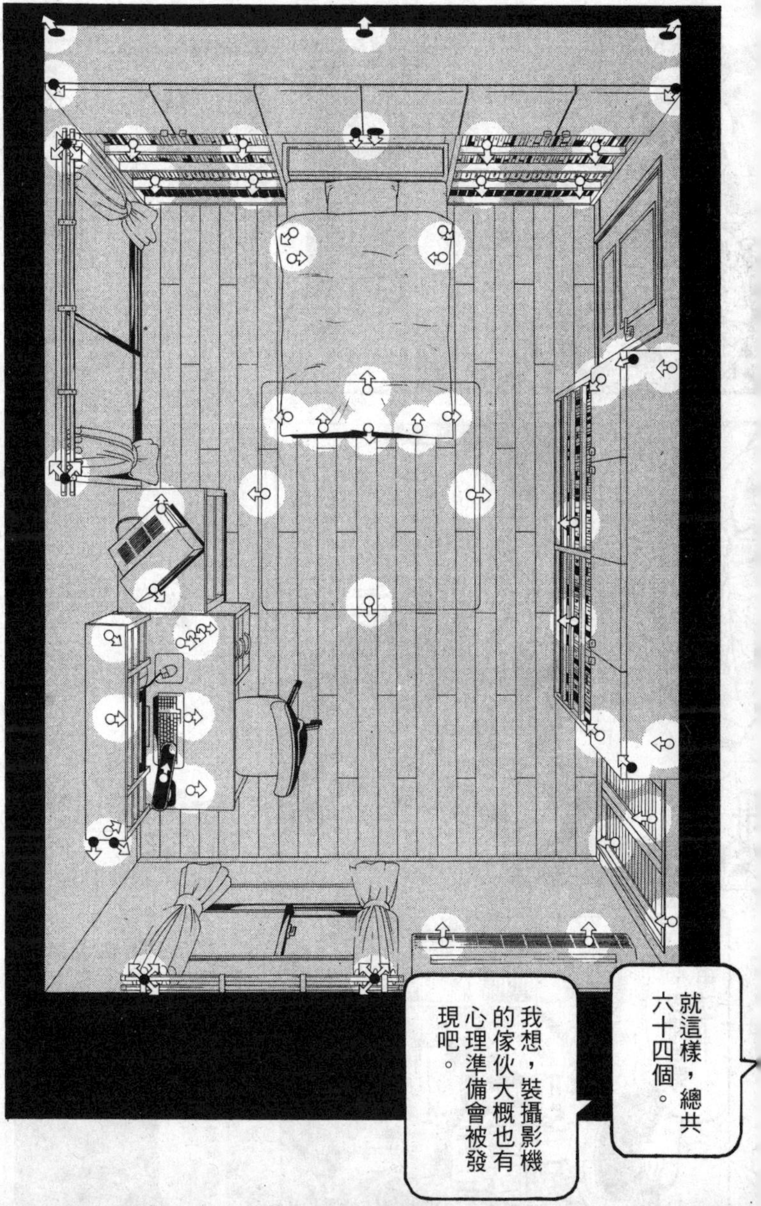
就這樣，總共六十四個。
我想，裝攝影機的傢伙大概也有心理準備會被發現吧。

果然是L！在宣戰的時候，就讓死刑犯從容不迫的坐在椅子上。
那傢伙…做事情也是不知道節制的嗎！
那麼…照這狀態來看，我能在哪裡吃蘋果啊？
當然是不可能啊，路克。
啊…我們不能在家裡講話喔。
明天外出的時候再告訴我吧。
OK，這一題也答對了。
從攝影機的數量跟裝設方式來看，他打算在短時間內查明事情的真相。
不過既然路克已經告訴我攝影機的位置，再加上我事先準備好的東西，
照這情況來看…
我還是能夠一面假裝努力用功的考生，
一面利用死亡筆記本殺掉目前新聞報導的罪犯

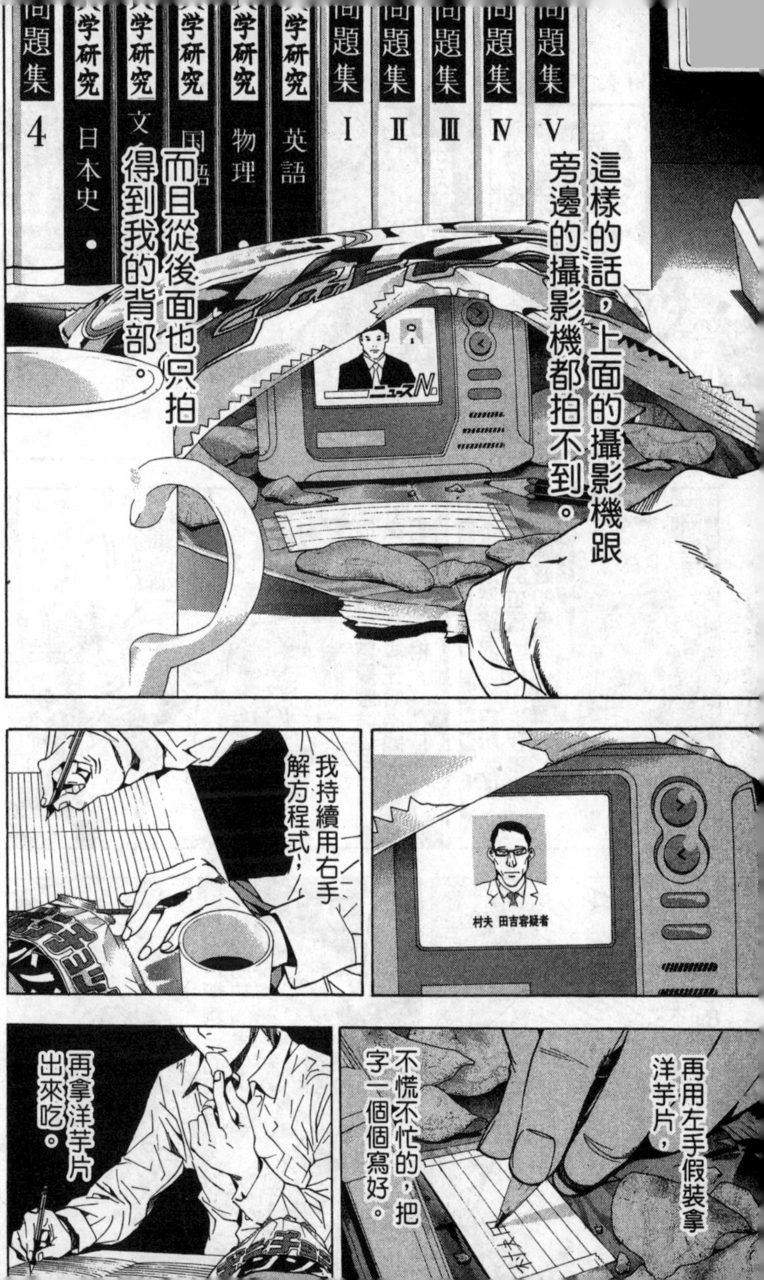
這樣的話，上面的攝影機跟旁邊的攝影機都拍不到。
而且從後面也只拍得到我的背部。
ニュースN.
村夫 田吉容疑者
我持續用右手解方程式，
再用左手假裝拿洋芋片，
不慌不忙的，把字一個個寫好。
再拿洋芋片出來吃。

你兒子吃完晚飯後，既沒看電視也沒上網，只是一直用功讀書呢。
因為距離聯考不到十天的關係。
袋子裡寫的三名罪犯，應該會有一個中獎吧…
如此一來，我毫不知情的罪犯將在四十秒後心臟麻痺死亡！
然而這段時間我並沒有看電視，只是一味的用功讀書，而L本人就是我不在場證明的目擊者。
好，再多加把勁吧。

龍崎。
怎麼了？渡。
今天九點的新聞才剛報導不久的…
涉嫌侵占的銀行職員以及搶匪，分別在偵訊中跟拘留所裡…
一起心臟麻痺死亡了。
是奇樂！
而北村家方面，次長的夫人跟長女有看到這則新聞。
……
但是夜神先生的太太跟女兒這段時間是在看連續劇。
連續劇一結束，她們就關掉電視什麼也沒看。
至於兒子從七點半之後就一直唸書到現在十一點…

兩家都沒有可接收電視電波功能的手機。
也沒有利用手機或電腦傳送電子郵件……
奇樂如果要殺人，需要長相跟名字。
沒有看那則新聞的，就不是奇樂嗎……
這麼說，我家人是清白囉！
…………
今天的奇樂動作真快，馬上就幹掉罪狀很輕的罪犯……
……
而且在攝影機裝設的第一天，夜神家就很有意思的洗刷清白…

隔天早上
月——你起床了嗎？
嗯，起來了。
今天要倒垃圾，有垃圾的話要拿出來唷——
真麻煩。
カチャ
你在講什麼啊？這點小事不需要媽媽提醒，就該自動拿出來…
是是是。

ガラッ…
喔，今天的天氣也不錯。
你是為了保身而不擇手段？還是花錢大方呢…
ガァー
早安。
那台小型液晶電視不是要三萬九千八百元嗎？

DEATH NOTE

How to use it

XI

- Even after the individual's name, the time of death, and death condition on the DEATH NOTE were filled out, the time and condition of death can be altered as many times as you want, as long as it is changed within 6 minutes and 40 seconds from the time it was filled in. But, of course, this is only possible before the victim dies.

在死亡筆記本寫下姓名、死亡時刻、死亡狀況之後，可於6分40秒內任意更動內容。當然，所謂6分40秒是以人尚未死亡為前提。

- Whenever you want to change anything written on the DEATH NOTE within 6 minutes and 40 seconds after you wrote, you must first rule out the characters you want to erase with two straight lines.

直接畫兩條橫線在想要變更的文字上，
就能於6分40秒內改變原本寫在死亡筆記本的內容。

- As you see above, the time and condition of death can be changed, but once the victim's name has been written, the individual's death can never be avoided.

死亡時間或死亡狀況可以上述的方式更動，
但姓名已經被寫上去的人沒有任何方式能夠避免死亡。

page. 18 視線

你確定嗎？路克。
確定，沒有人跟在後面。
你該不會是想吃蘋果才隨便說說？
喂喂喂，我在你半徑一百公尺內巡視過好幾次了耶。
絕對沒有。
可是新聞又報導「將引進一千五百名搜查員」…
那一定是故意威脅的啦，你不也說「如果是真的，應該偷偷進來」嗎？
……
知道了啦，路克。
我去買蘋果給你吃。
太好了！

伊果梨屋
NCC-1701-80547
月，快點！快點！
謝謝。
不過你也真會使喚死神耶……
竟然要我把攝影機全找出來，結果卻是「休想在家裡吃蘋果」。
連果核也要吃掉唷。
月，你再要我的話，我就把你名字寫在死亡筆記本，把你給了結喔。
ゴックン…
哈哈。
你還敢笑？
對喔，還有最後的工作沒做呢。

龍崎，前天心臟麻痺的搶匪及侵占罪犯，是在我的家人沒得到任何情報的情況下死亡的。
這樣是否洗刷了他們的嫌疑呢？
……
說得也是…
就算奇樂有辦法操縱死亡的時間，但很難想像他會在看新聞之前，就掌握到他們死亡的時間…
！
你兒子又回來了！
……

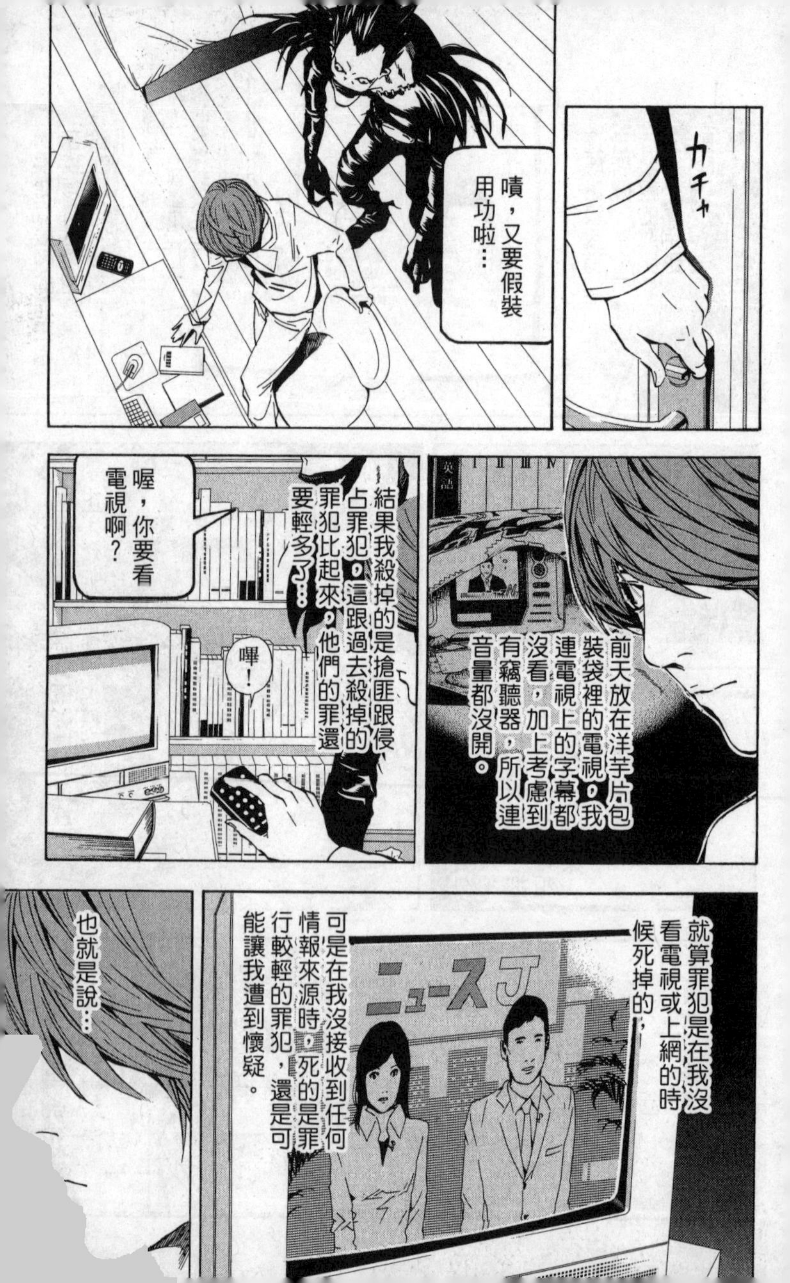
カチャ
嘖，又要假裝用功啦…
前天放在洋芋片包裝袋裡的電視，我連電視上的字幕都沒看，加上考慮到有竊聽器，所以連音量都沒開。
結果我殺掉的是搶匪跟侵占罪犯，這跟過去殺掉的罪犯比起來，他們的罪還要輕多了…
喔，你要看電視啊？
嗶！
就算罪犯是在我沒看電視或上網的時候死掉的，
可是在我沒接收到任何情報來源時，死的是罪行較輕的罪犯，還是可能讓我遭到懷疑。
ニュースJ
也就是說…

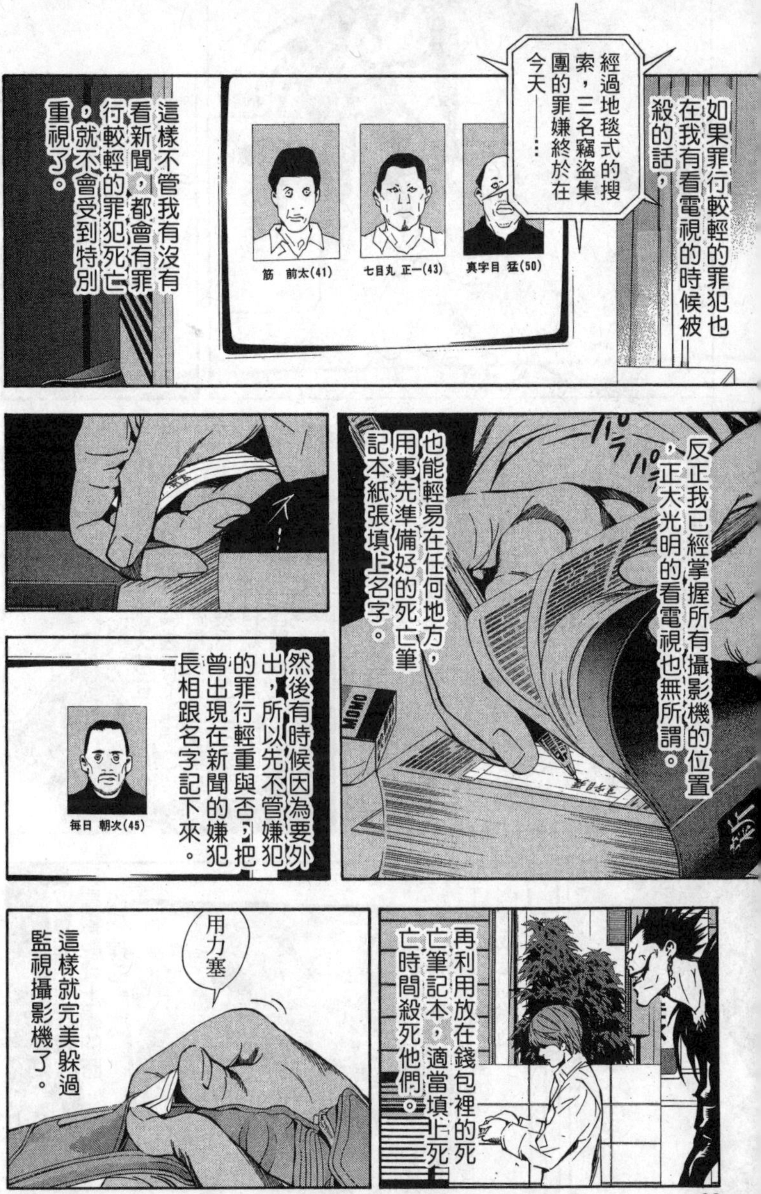
如果罪行較輕的罪犯也在我有看電視的時候被殺的話，
經過地毯式的搜索，三名竊盜集團的罪嫌終於在今天——……
真宇目 猛(50)
七目丸 正一(43)
筋 前太(41)
這樣不管我有沒有看新聞，都會有罪行較輕的罪犯死亡，就不會受到特別重視了。
反正我已經掌握所有攝影機的位置，正大光明的看電視也無所謂。
也能輕易在任何地方，用事先準備好的死亡筆記本紙張填上名字。
然後有時候因為要外出，所以先不管嫌犯的罪行輕重與否，把曾出現在新聞的嫌犯長相跟名字記下來。
每日 朝次(45)
再利用放在錢包裡的死亡筆記本，適當填上死亡時間殺死他們。
用力塞
這樣就完美躲過監視攝影機了。

兩天後
這五天來，我不斷反覆檢視竊聽的錄音帶跟拍攝的影像。
現在要發表結論了。
ごくっ…
北村家、夜神家裡…

沒有可疑人物。
因此攝影機跟竊聽器可以拆掉了。
唉…結果沒有嫌疑犯啊…
原以為「雷・潘伯調查過的對象」這條線索很不錯的說…
而山手線的錄影帶也沒拍到任何可疑份子…
千萬別喪氣！這樣搜查又回到原點了。
所以大家得要再繃緊神經了。
請大家不要會錯意，我的意思只是說單從影片來看…並沒有可疑份子。
咦？
即使奇樂在裡面，他也沒有露出馬腳。
不，這表示他可以不動聲色地照常把罪犯殺死。

…那麼龍崎，你還是覺得奇樂就在那裡面？
カチャカチャ
……
我說了…
可能性是5%。
不過連攝影機都行不通的話，就只好一個個調查囉…
如果奇樂真的在裡面，應該就會動手殺掉盤問他的人吧？
所以就要像之前的L…不對，就像龍崎這樣，不讓他知道我們的長相，秘密調查。
……
カチャ
カチャ
不行，就算是這樣，如果被對方看出我們把他當奇樂懷疑的話，還是很危險。
沒錯，
如果要盤問，也要等掌握到某種程度的確切證據，而我們也做好相當的準備再說。
カチャ…

即使裝了監視攝影機，
奇樂還是照常殺人。
雖然不曉得他是用什麼方法殺人，
即使他只靠念力就能殺人…
只要是活生生的人類，在進行殺戮的時候，
行動跟表情都會有變化才對…
有幾名罪犯在新聞報導後就馬上死亡，
然而那段時間的北村家跟夜神家的人都用普通的表情過著普通的生活。
就一般的想法來推斷，
應該都會認為奇樂不在其中吧…
可是…
如果奇樂就在那裡面的話…

這表示他的精神已經達到神的領域。
還能夠面不改色的制裁惡徒。
……
看來應該改推測沒有奇樂的存在，而視為真的是神的制裁。
不過LIND・L・TAILOR是罪犯，被制裁倒還有話可說，但是FBI探員可沒理由要接受制裁啊。
還是說他們懷疑神的制裁，而冒瀆了神明？
神無法容忍不明事理的人類說祂反復無常。
只是說，神殺人還需要知道長相跟名字，這未免太扯了吧。
所以這不是神的制裁，
而是有個幼稚的傢伙自以為在執行神的制裁。

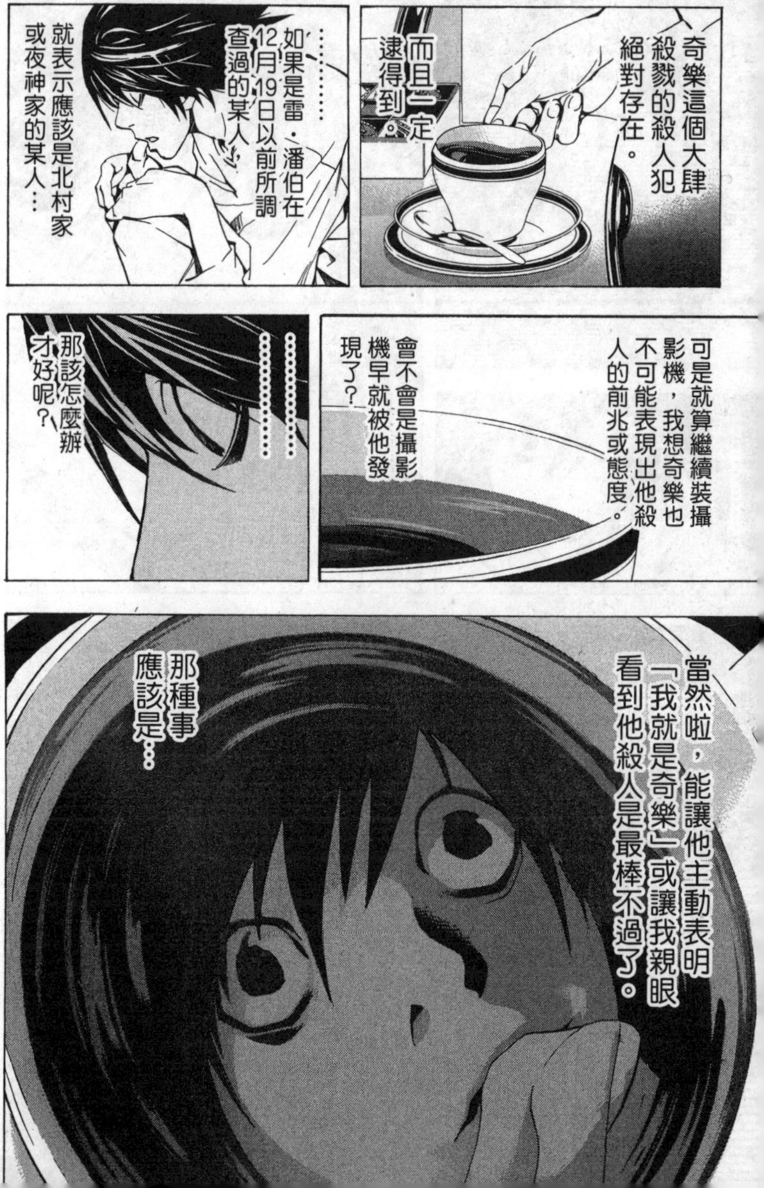
奇樂這個大肆殺戮的殺人犯絕對存在。
而且一定逮得到。
……如果是雷・潘伯在12月19日以前所調查過的某人，
就表示應該是北村家或夜神家的某人…
可是就算繼續裝攝影機，我想奇樂也不可能表現出他殺人的前兆或態度。
會不會是攝影機早就被他發現了？
…………
…………
那該怎麼辦才好呢？
當然啦，能讓他主動表明「我就是奇樂」或讓我親眼看到他殺人是最棒不過了。
那種事應該是…

喂，月，攝影機真的全部都拆掉了，全拆掉了哦。
月，你聽到我說話了嗎？
カチャ
這樣就如我所計劃的，我已經被剔除被鎖定的搜查對象了。
可是，L應該還會繼續追查奇樂才對。
對了，搞不好還有竊聽器呢。
如果L還打算動用日本警察的力量，那他指揮的那些人當中…
一定有爸爸在。

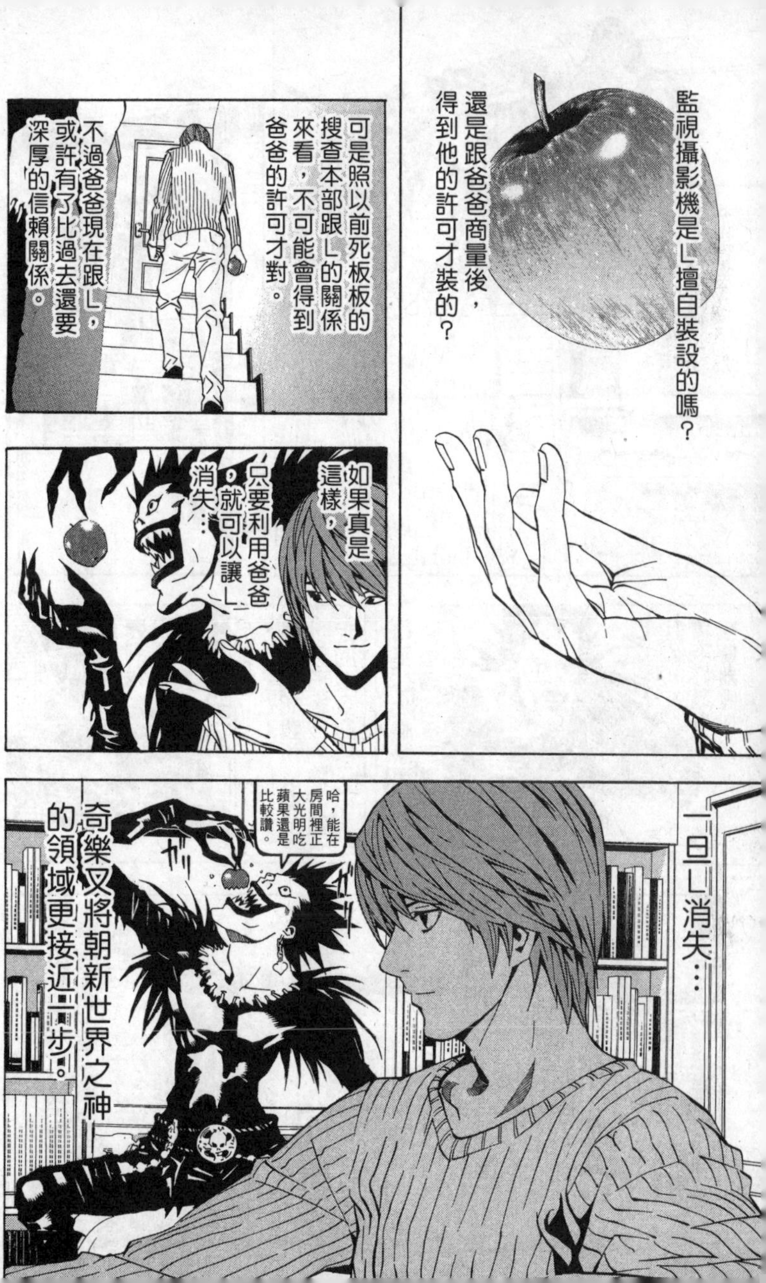
監視攝影機是L擅自裝設的嗎？
還是跟爸爸商量後，得到他的許可才裝的？
可是照以前死板板的搜查本部跟L的關係來看，不可能會得到爸爸的許可才對。
不過爸爸現在跟L，或許有了比過去還要深厚的信賴關係。
如果真是這樣，只要利用爸爸，就可以讓L消失…
一旦L消失…
哈，能在房間裡正大光明吃蘋果還是比較讚。
ガリ
ガリ
奇樂又將朝新世界之神的領域更接近一步。

1月17日，聯考第一天。
月，快點準備出門啊！
加油哦！
哥哥加油——
不過是聯考而已，妳們也太誇張了吧？
我出門了。
不過竊聽器全撤掉了，這下可輕鬆多了。
沒錯，幸好造成我壓力的其中一個要因，在聯考前消失了……
只要上了大學，
就更容易找時間以奇樂的身份行動以及找出L。
同學，離考試只剩十分鐘，請快點進教室！
我就是不喜歡在教室裡呆坐，才打算三分鐘前再進去的說，想不到反而更早到。
真是有夠從容耶……
平成16年度大学入試センター試験
東応大学試験会場

キーンコーン カーン…
開始考試。
パラ
!
コッ
コッ

准考證號碼…162號的同學。
請你坐好。

page. 19 屈辱

page. 19 屈辱

平成16年度　東応大学入学式
請新生代表致詞。
新生代表夜神月。
是。
スッ
哇。
以及同樣是新生代表的流河旱樹請出列。
ガタッ
咦？今年是兩個人致詞？
流河旱樹？是那個偶像明星嗎？同名同姓耶。
不會吧？那個偶像明星有唸東大的實力嗎？
啊…真的耶，跟那個偶像流河一點都不像嘛。

東
我是有聽說要兩個人上台致詞，
但想不到會是跟這傢伙…
聯考前半段，他就一直用奇怪的方式坐在我後面，是個行徑怪異的傢伙。

新生致詞是由聯考成績第一名的傢伙負責的吧？
想不到今年的榜首有兩個⋯
可是就算聯考的成績相同，不是還要看學科成績的差異嗎？
譬如說英文的成績比數學高，就比較厲害之類嗎？有嗎？
聽說那兩個人所有學科都拿滿分唷。
真的假的？
還真的有這種人⋯
右邊那個是我喜歡的類型耶——
什麼⋯京子眼光也太奇怪了吧，一般都是選左邊那個⋯
可⋯可是那兩個人完全對比耶⋯
沒錯⋯

一個怎麼看都像是在溫室受到呵護的秀才。
另一個…該說他充滿野性嗎？總之就是怪…
那類型的，就是所謂的天才嗎？
而且在東大入學典禮穿那種服裝…上台致詞…該說他是不屑做這種事？還是白癡呢？
白癡有可能以第一名的成績進東大嗎？
他走上講台的時候，我看他連襪子都沒穿呢。
搞不好只是個窮小子呢。
是窮苦學生嗎？
パチ
パチ
パチ
パチ
パチ

夜神同學。
？
你是警察廳夜神總一郎局長的公子，對父親相當尊敬，而且正義感也不輸給他。
……！
而你自己也希望成為警官，曾對過去數宗案件提供意見，並引導警方破案。
現在對奇樂事件也很感興趣。
我信任你的正義感跟解決案情的手法，如果你願意發誓不對外宣揚，
我想跟你談談關於奇樂事件的重大事情。
怎麼回事？這傢伙怎麼突然講這些…我到底該不該理他呢？
可是他又提到關於奇樂事件的重大事情…
我不會跟任何人說的，什麼事？

我就是L。
不…不會吧…
這傢伙在講什麼啊？
L不可能表明自己是L的。
原本我只當他是個怪人，想不到他的確不尋常？
グラァ…
糟…糟了，我不能動搖，如果他真的是L的話…
總之，這時候必須以夜神總一郎的兒子．夜神月的身份，採取自然的行動才行…

東
如果你真的是L，那就是我既尊敬又崇拜的人。
謝謝…
我之所以表明身份，是想或許能借助你的力量來解決奇樂事件。
夜神月…
是奇樂的可能性不到5%…可是他又是所有人之中讓我最有感覺的對象…因為你實在過於完美…
而且如果你真的是奇樂的話，應該會感受到前所未有的壓力吧…
ガタッ
呵呵，這傢伙如果真的是L，還真有一套呢。
沒錯，這傢伙如果真的是L……不，儘管他不是L……我…

我也…
奈何不了他！
這傢伙的話如果屬實，那爸爸應該也知道L的長相。
一旦對我表明「自己就是L」的這傢伙死了，那我直接就會遭到懷疑。
而且這傢伙叫做流河旱樹，擺明了就是使用假名。
如果為了殺他而把名字填入死亡筆記本，這又不是他的本名…
這樣，那個我不願想起的偶像流河很可能就會死掉，
流河旱樹
而沒死的這傢伙就能夠成立我就是奇樂的推測。

這傢伙真的是L嗎？還是說他在懷疑我是奇樂？
……
雖然不曉得他懷疑我的程度有多高，但他的確是在懷疑我……因為他沒有理由對夜神總一郎的兒子說「我就是L」……
這表示他還是以雷・潘伯所調查的範圍進行搜查嗎？可是L為什麼要在我面前……
…現在還是不要做任何思考的好，我也不能板著臉孔。
畢竟這傢伙絕對有在觀察我內心是否動搖了…
呵呵，好有趣的入學典禮呢，月。
夜神。

喂，月，那傢伙在叫你耶。
夜神。
……
今天真是謝了…
不，千萬別這麼說…
那麼下次學校見了。
啊，說得也是…請多多指教。
好豪華的車…黑頭車？
ドロロロ…
原來那傢伙是有錢人家的少爺…
而且還是榜首…感覺亂不爽的。

ガアッ
カタン カタン…
カチャ
東大生，你回來啦？
？
トン トン
ギシ…

可惡！
被擺了一道！
ガタッ
被擺了一道……？
可惡的L……
我這輩子第一次嚐到這種屈辱！

……
用死神的交易把他殺掉不就得了？
如果那傢伙不是真的L，那不就等於跟L表示，我就是奇樂！
……
抱…抱歉…
……
拜託你別把死神殺死人，跟人殺死人的性質混為一談好不好？

雖然我很想殺了那傢伙，可是一旦殺了他，就會露出馬腳。
死亡筆記本就只能殺掉寫有名字的那個人…
沒辦法操縱某人來殺人…
這死亡筆記本還真是不方便耶。
平常冷靜十足的月竟然會被惹火…而且他相當抓狂呢…
如果剛開始能知道對方的名字，讓他意外身亡跟自殺倒是不錯的想法…
可是如果無法百分之百證明是L本人就沒用了。
不，就算知道是L本人，既然他對我宣佈自己是「L」的話，或許已經為時已晚了…
無論L用何種方法死掉，我都會遭到警方的懷疑…
………
不過L太小看我了。
L在所有警察失去信用之前，知道奇樂殺人需要名字，
而且還感覺到我很有可能就是奇樂。
在那段期間，我還打算讓L被警方孤立，讓他在幾萬人面前露出真面目…

不過我萬萬沒想到，L會對我表明「我就是L」。
……
無論是不是L的分身，對可能是奇樂的人自稱「我就是L」…
這對L來說，是對付奇樂相當有效的防禦措施，而且還能展開攻擊。
我真的被擺了一道…
這手段真是高招…
我想那個裝傻的流河，在往後的大學生活會不斷接近我並試探我…

ふっ
這樣也好…
くっくっくっ…
其實也沒什麼好悲觀的…
因為這表示對方沒有掌握到任何證據。
現在變成是我跟那傢伙正面地互相欺騙、互較智慧。

表面上雖然是同學，
私底下卻互相追查「你是L嗎？」、「你是奇樂嗎？」
有意思，流河，既然你想跟我攀交情，那我就爽快的接受吧。
我會讓你充份相信我⋯
等引出所有真相後，再把你們全給殺了。

DEATH NOTE
How to use it
XII

- If you lose the DEATH NOTE or have it stolen, you will lose its ownership unless you retrieve it within 490 days.

死亡筆記本遺失或遭竊的情況下，
若未於490天之內找回來，就會喪失所有權。

- If you have traded the eye power of a god of death, you will lose the eye power as well as the memory of the DEATH NOTE, once you lose its ownership.
At the same time, the remaining half of your life will not be restored.

曾經換取死神之眼的人在喪失所有權以後，會同時失去筆記本相關的記憶以及死神之眼的能力。但是因交易所失去一半壽命並不能拿回來。

page. 20 先發制人

沙
最近好像有很多人拚命在觀察人界。
怎麼搞的？
……!?
聽說路克被人類給飼養了。

他在搞什麼鬼……
死神的臉都被他給丟光了。
不，我覺得被飼養的應該是人類吧。
嗯？
路克一點也不可愛，誰會想把他當寵物養？
咯咯…說得也對。
那他養的人類怎麼樣？是男是女？
……不知道
我也去瞧瞧好了。
ザッ…
真是的……

東応大学

流河，你用促進感情當理由找我打網球…可是你知道我的實力嗎？
放心啦，夜神同學，我以前得過英國的青少年盃冠軍。
如果趁現在問他「那你是英國籍嗎？」，不曉得會不會讓他起疑？
反正先試試看吧…
你是在英國長大的？
我在英國住過五年左右。
不過你放心，這並不會暴露有關L的事情。
這樣喔…
ククッ

打一盤六局決勝負，贏的局數多就算勝利，可以吧？
沒問題。
難道他想利用網球分析我的個性，看我到底是不是奇樂？
但是光靠一場促進感情的網球賽，很難做出判斷吧…
而且奇樂非常的不服輸…

哇！
喂喂喂，流河…你來真的？
はは…
先發制人啊。
15-0。
咚咚
咚咚
……
這樣喔…

アハハ…
安永學長，有新生在用網球場。
有加入我們社團嗎？
那個……
是流河旱樹跟夜神月！
誰啊？
你…你不知道嗎？就是今年以榜首入學的那兩個新生。
榜首入學？沒聽過。
……
從開學典禮以後，他們就常常在一起，感覺很討厭…
總之呢…
網球場被他人隨便就用，我們網球部就太沒面子啦。

パーン
パーン
ザワ
ザワ
這麼多人旁觀啊。
奇怪…三分鐘前明明沒有別人的…
…看兩個榜首打球很有吸引力吧…話題性也夠。
如果他們加入，我們社團一定會很受歡迎…
パーン
他們是外行人嗎？
パコーン
パカーン

你放心，夜神，奇樂的個性是很不服輸，但只要是人，比賽的時候通常都會想贏的。
如果我拚命想贏球的話…就比較可能是奇樂？
就算這樣好了，
如果因為奇樂的個性不服輸，所以我故意輸球，那我就是奇樂的可能性不就反而更高了？
結果都是一樣的。

這傢伙不是為了分析我所以才跟我打球……
這場球賽絕對另有目的。
所以這場比賽我一定要贏。
看吧……
我會贏的……

Game Coun 4—4。
呼—
呼—
哈—
呼—
呼—
哈—
咯咯…居然連主審跟線審都有了。
安永學長。
嗯？
我覺得好像在哪聽過夜神月的名字…剛才查了一下，他是1999跟2000年的中學組冠軍！
他國三的時候在頒獎台上說「玩到國中畢業就夠了」，後來就再也沒參賽了…
……！
中學組全國第一名…
難怪…
好厲害。
ザワ ザワ
哪哪，流河能跟中學的冠軍打得不分勝負，那他…
京子…妳…
可是我完全查不到流河的資料…

我…
我不甘心…
咦？
運動神經超群…而且還以榜首進東大…
無論如何…都要拉他們進網球社…
……
呼—
哈—
到目前為止，我們兩個都沒有去觸及奇樂的事件，
如果突然開誠佈公的談論，反倒會很可疑。
不可能會用這種網球比賽來促進感情，
這只是為了讓雙方互相了解更多的一種儀式。
呼—
哈—

你會以為這場網球比賽，是我為了跨出下一步的準備。
打完這場比賽之後，這傢伙就會開始談論奇樂，設計讓我夜神月說出只有奇樂才會知道的事情。
我已經對你表明「我就是L」，而且我提過「請幫我一起解決奇樂事件」，所以你一定會利用這點。
但如果我們談及了奇樂事件，我夜神月在會話之中難免就會試探一下你這傢伙是否真的有主掌奇樂事件的調查。
要你談論奇樂事件，你可能會先要求了解搜查狀況，讓自己能相信我……
因為——

我了解搜查狀況後，立場會變得比較有利，講出夜神月不該知道的奇樂情報的情況也會變少。
再來，你會要求我…
想跟能夠證明我就是L的第三者見面…
我應該先跟這傢伙提的──
你會對我提出這個要求的──

就是去搜查本部。
要贏，就要先發制人。
光採取守勢絕對無法取得勝利。
要贏就一定得進攻。

ガシャ
Game set－！比賽結束！夜神6－4勝利！
……真有你的，夜神…我輸了…
オオオ…
一盤就完啦？嘖…
我也好久沒打得這麼認真了，流河。

口好渴，而且我也有事拜託你……
一起去喝茶吧？
既然是我輸球，有什麼要求就儘管說吧。
不過，在那之前我得先說一件事。
什麼？
其實我一直懷疑……
夜神你會不會就是奇樂……
除此之外，你想問些什麼就儘管問吧。

page. 21 表裡

哈哈…我是奇樂？
不，雖然我懷疑你，但也只有1%的程度而已。
我更肯定的是，你並不是奇樂，而且擁有極佳的推理能力，希望你能協助我們的搜查。

「1%的程度」…講的真好聽。
只要有1%的程度被懷疑，我就等於是失去自由了。
畢竟我的可能性不是0%，就算我提出「想要認識搜查本部的人」也沒用…被他先將了一軍…
失策了…
要討論奇樂事件的話，這裡人就太多了，另外找個地方我們再聊。
好，打過這場球以後，好像又更引人注目了。
ザワ
ザワ
キャー
キャー

国家公安委
警察
次長室
不能說是什麼意思？
非常抱歉，L指示說，不能告訴搜查本部以外的任何人，就算是次長也…
在什麼地方？做什麼事情？為何本部老是只有一個人在…連這個也不能說？
非常抱歉…
那麼…

有人對我女兒說「我就是L」…
！
……是模木…
是懷疑我女兒嗎？
這個我也無法回答。
有人對您女兒自稱是L的事，也請別說出去。
不過，請您放心…
我們沒理由去懷疑您的女兒。
這一點我可以肯定。

真正值得懷疑的，反倒是我的兒子。
……！
……
這些話，您就當沒聽過吧…
夜神…這個案子，已經花了我們四個月的時間…
大家會怪警察無能…L無能…
次長！我斗膽問一句…
害怕奇樂而夾著尾巴逃跑的警察，就算是有能力的警察嗎？

次長您應該也知道，搜查本部現在有多少人！
如果您有空去在意外面的閒言閒語！不如多花一點功夫，別讓其他的人知道大部份的警察根本不敢參與搜捕奇樂的行動！
……
告退了…
ヨロ…
夜神。
是。
L這個人如何？
值得信任嗎？
他現在也是拼上性命的主動出擊。
………
我想…他比我們更有能力。
值得我們信賴。

我很喜歡這家喫茶店，
坐裡面點的位置，說話內容就很難被別人聽到了。
這個地方很不錯。
而且也不用去在意你的坐姿啦，哈哈。
嗯……
我一定要維持這種坐姿，
如果用一般的姿勢，我的推理能力會降低40%。
夜神，你要拜託我什麼事？
喔，既然你已經說我不是奇樂…那就不用拜託你了，我們隨便聊吧。
……那……
不好意思，我可以試試你的推理能力嗎？
好啊，聽起來滿好玩的。

說是要測試我的推理能力，其實是測試我是否「不講只有奇樂才可能知道的事情」……
如果怕說溜嘴而三緘其口，那我是奇樂的可能性反而高，是吧？
但為了以後做打算，我還是應該給他見識一下某種程度的推理能力……
現在沒有證據顯示我就是奇樂，也沒有方法證明我不是奇樂，我只能先得到他的信賴，讓我進搜查本部。
沒問題的，被報導出來的情報跟沒有被報導出來的事情，我全部都已經清楚確認過了。
我說自己是L以後，你發現了什麼？
嗯？
這個嘛……
你很期待我的表現…還有…
カチャ
對有可能是奇樂的人坦白自己就是L，可見你認為這樣他就不會動手…
又或是，你在坦白之前就已經做好了萬全準備…
從目前的媒體報導可以得知，奇樂殺人的必要條件除了知道長相之外，可能還要有其他的要件。
既然如此，那很有可能是名字。
因為L經常使用偽名，而且你還故意使用日本人家喻戶曉的流河旱樹當成名字，所以我才得到這個推論。

正確答案。
這麼輕易的就告訴我事實啊？
我有必要對你隱瞞真相嗎？
另外，流河你是真正的L的可能性非常低。
為何？
如果我是L，對於有可能是奇樂的人，我會派別人自稱為L去跟他接觸。
真正的L只會待在安全的地方，
就算要借用警察的力量，他也只會躲在暗處指揮。

有道理…
坦白說出自己是L以後，危險就會提高，之前一直不現身的努力也白費了…
真正的L如果親自出來就太笨了…
……
……
裝出這麼欽佩的樣子…騙人的吧…
可是我心裡覺得，流河你可能是真的。
怎麼說？
一般人的印象裡面，L應該是年紀很大的偵探或警察才對吧？
如果找流河你來冒充，感覺就太假了…
假如L已經算到這點，所以選我冒充呢？
嗯——L是很有可能這麼做啦…
事實的反面才是事實…這樣講不完的。
ははは…
腦袋會越想越混亂喔。
ははは…

要求你幫忙又不提供情報給你，好像也不太有禮貌。
ガサ
ガサ
這些是沒有被媒體報導過的，請你根據這些繼續推理。
カサ
這是被奇樂殺害的十二名FBI探員名單，上面列了他們的死亡順序以及得到檔案的順序。
FILE
Haley=Belle 1 15:19 5 15:
Raye=Penber 2 15:21 9 16:
Lian=Zapack 3 15:24 11 17:10
Arlre=Weekwood 4 15:24 2 15:45
Ale=Funderrem 5 15:25 7 16:10
Freddl=Guntair 6 15:25 6 16:00
Knick=Staek 7 15:26 3 15:48
Bess=Sekllet 8 15:27 10 16:53
Frigde=Copen 9 15:28 12 17:15
Toors=Denote 10 15:28 1 15:30
Girela=Sevenster 11 15:31 4 15:50
Nikola=Nasberg 12 15:31 8 16:25
另外，這三張照片照的是奇樂操縱監牢裡的罪犯所寫下的文章。
是否該早點蒙
神寵召？
死亡，我並不害怕！
耶咲耶咲……咲叫
著一大堆，監牢
食物難吃，
偏偏床又硬，死臭
的味道，充斥四周。
果然我受不了了！
蘋果也是爛的，
吃了也是吐出來。
只有死了才能解脫。
幾番思考，
嗎？在這個
爾虞我詐的社會裡，那隻
A級可怕的手向在我招著，一語
道破自己只會被他殺死的真相。因為我
知道奇樂的存在。所以
你想想看，我是不是會成為犧牲品？

給我看這種東西，想觀察我的臉色會不會有變化嗎？
你先看FBI的資料，有什麼想法嗎？
唔？這個嘛……
奇樂也會忽略這個的……這小子會不會上當呢？
Haley=Belle
Raye=Penber
Lian=Zapack
Bess=Sekllet
流河…
這些FBI得到的檔案是什麼檔案？
不知道這點的話，我無法做推理。

啊…不好意思。
那個檔案是來日本的FBI用來互相確認成員用的資料，裡面有他們的姓名、照片，而他們在收到檔案的當天就全部死了。
而奇樂要殺人，一定得知道長相還有姓名…那個檔案兩種資料都有…
另外，所有的探員在得到檔案當天就全體身亡…
奇樂很有可能是利用那個檔案去殺害他們的。
你再看那三張照片。
這三張照片很有趣喔。
受不了…想騙小孩子嗎…照片背面有印刷的編號。
68011
〈No.2〉
如果沒注意到這點而猜出「你知道嗎A爾死神是只吃蘋果的偏食者耶」這段句子，那是奇樂的可能性就會很高…
不過，我看到了就是我贏。
68011
〈No.21〉
〈No.18〉
如果奇樂不但能讓人死，還能操縱人的行動，那他就太厲害了。
看得出來，這是奇樂故意讓他們寫的，因為文章裡有一段暗號是用來取笑L的。

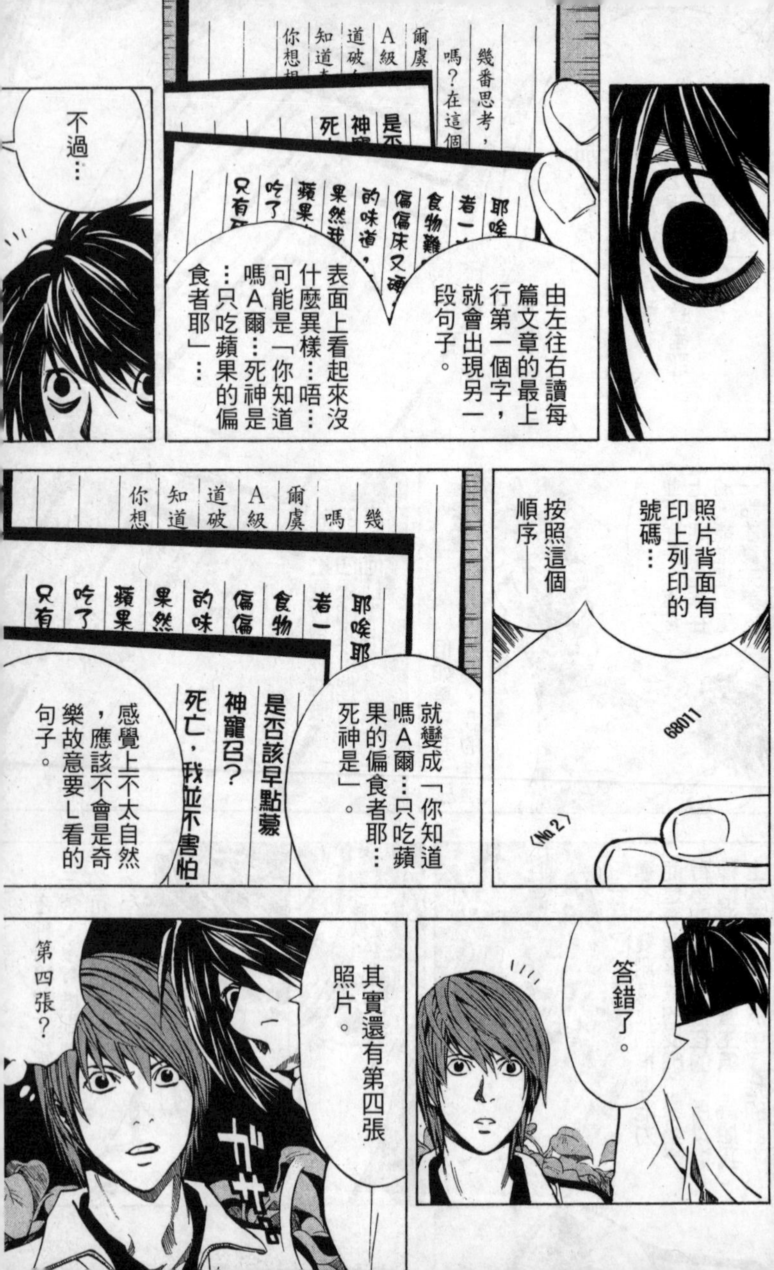
由左往右讀每篇文章的最上行第一個字，就會出現另一段句子。
表面上看起來沒什麼異樣…唔…可能是「你知道嗎A爾…死神是…只吃蘋果的偏食者耶」…
不過…
照片背面有印上列印的號碼…
按照這個順序——
68011
No.2
就變成「你知道嗎A爾…只吃蘋果的偏食者耶…死神是」。
感覺上不太自然，應該不會是奇樂故意要L看的句子。
答錯了。
其實還有第四張照片。
第四張？

スッ
紅色的鮮血會染上這雙手滿手都是
加上這張就變成了這樣，「你知道嗎Ａ爾只吃蘋果的偏食者耶死神是滿手血紅」。
……這傢伙搞什麼？
為什麼要故意弄個假的第四張出來…他到底有何打算…？
但如果只有三張的話，我的推理就很完美了。
並不完美，事實上第四張是存在的，能推理到這一點才算完美。
而夜神同學剛才認定了只有三張，沒有推測到有第四張的可能，這也是事實。
……這傢伙……
！
……
…我懂了，這不是要測試我的推理能力，而是要觀察我的反應…奇樂曉得第四張是不存在的，所以這種情況下可能會生氣…假如我上勾了，就等於中了他的計…

沒有錯…最大的陷阱是沒注意到背後的印刷編號而直接說出「你知道嗎A爾死神是只吃蘋果的偏食者耶」這段句子。
「你認定了只有三張」這句話只是一種挑撥，無法作為判斷奇樂的根據…沒必要做多餘的爭論。
嗯——我推理不到這邊耶，
反正不管怎樣，這種句子都查不到奇樂吧？而且哪會有死神。
檔案跟印刷編號兩個陷阱他都沒上勾…
但如果他是奇樂，接下來就會以更謹慎的態度回答以免掉入陷阱。
好，那如果夜神同學是L，
面對一個有可能是奇樂的人，你要如何去分辨他是不是真正的奇樂？
設計讓對方說出媒體不曾報導、只有奇樂本人才會知道的事實。
就像流河現在做的一樣。
厲害。

之前我對好幾位警察提出過相同的問題，但幾乎每個人都要想好幾分鐘才能回答。
而且他們的回答都很爛…像是叫一個知名的罪犯出來，看對方是否真的能殺了他之類…
不過，夜神同學卻能在一瞬間就同時考慮到搜查者與奇樂嫌疑者雙方的立場。
夜神同學的推理能力好強。
……如你所料是嗎…還想引我上當嗎？
哈哈…
能力越是卓越，嫌疑不就好像越高了嗎…
カチャ
沒錯。
3%了…
……
但是希望你一起參與搜查的慾望也更強烈了。

老實說，夜神同學剛才做的推論是正確的，自稱是L的人並不只有我一個而已。
！
這……這傢伙……居然把這種事情開誠佈公……
如果這傢伙只是幫L跑腿的，那我跟他在這裡講話幾乎是無意義的。
對我來說，就算夜神同學真的是奇樂，我也希望你來協助搜查，
你懂我的理由嗎？
我來協助搜查的話，案情可能會有進展，若我是奇樂，則可能露出破綻……
這是一石二鳥的方法，同時能兼顧搜查與求證。
咯咯，月，你好像被逼得很緊喔，
真不像平常的你。
現在還不能肯定這傢伙不是真正的L，如果L是一個只出聲音而從來不在搜查本部出現的人，那我就沒必要繼續跟這傢伙糾纏下去了。

你好像誤會了吧？流河。
我是對奇樂事件很有興趣沒錯，所以我才會做那些推理…
但我不是奇樂，我也不想擔負這種會被奇樂殺死的風險。
與其幫助一個無法信賴的人而被奇樂殺死，不如還是當做樂趣，私底下注意就好。
而且又怎麼證明流河不是奇樂？
我跟你的立場其實是一樣的，你站到我的立場來想想看，只針對其中一個人問東問西的不是很奇怪嗎？
我們兩個表面上看起來都是普通大學生，
硬要講的話，流河你反而更像是奇樂吧。
我們雙方都無法證明自己並不是奇樂，
但流河卻有一個辦法可以證明自己就是L或是L的手下。

讓一位我能夠信任的人，比方說搜查本部裡的成員或我父親來作證，讓他們來證明流河就是L或者至少是搜查本部裡的一員。
如果你以無法證明我是奇樂為藉口來推辭，那我也無法參與你的搜查。
很會講嘛，夜神月……
完全就是不服輸的典型……7%了…說不定你真的就是……
我從來沒說過「不讓你見搜查本部的人」這種話喔？
我跟你的父親都在搜查本部進行搜查的工作。
只要帶你到搜查本部去，那你就會協助搜查囉？我這樣解釋可以吧？
！
…………
…………
這傢伙究竟有什麼打算…

嗶嗶嗶
!
不好意思。
パカッ
龍崎，事情糟了…
怎麼了？
夜神先生昏倒了。
!
……
?
♬♪♬♪♪
啊…我的也…

月，爸爸他…
夜神同學，你的父親…
我爸爸心臟病發作…
難道是奇樂…

DEATH NOTE

How to use it

XIII

- You may lend the DEATH NOTE to another person while maintaining its ownership.
Subletting it to yet another person is possible, too.

可以在保持所有權的情況下，
將死亡筆記本借給別人，亦可再次轉手借用。

- The borrower of the DEATH NOTE will not be followed by a god of death.
The god of death always remains with the owner of the DEATH NOTE.
Also, the borrower cannot trade the eyesight of the god of death.

借用死亡筆記本的人不會有死神附身，
死神只會附於所有者身上。
此外，借用者無法進行死神之眼的交易。

page. 22 不幸

さくらTV
第4會議室
搞什麼東西！你們提的企劃案就只有這種水準嗎？
你們是不是以為只要做奇樂的報導，隨便做都可以提高收視率？
我做的節目之所以有高收視率，全都是因為我敢用別家電視台不敢用的題材！懂了沒有！
最重要的是獨家！給我夠勁爆的消息！
可是警察一直閉口不提奇樂的事，很難挖新的題材…
笨死了——
DAD'S STILE

沒有好的題材，不會自己製造假消息啊！
ドン
可是…新聞局一直在警告…
最好不要公開說有很多人支持奇樂的行動…
沒關係啦！警察還不是放一些不知是真是假的消息給我們報導。
他們沒資格講話。
聽好了，這次奇樂特別報導的主題，就做國民十萬人採樣的訪問調查，結果是奇樂的支持率超過50%！
統計要做得夠專業，訪問的內容要編得夠犀利！
不做到這種程度，節目就不會有趣。
滋滋

茨木病院
……真的只是因為操勞過度嗎？
月！你這是什麼話！
這種時候心臟病發作，誰都會做同樣的聯想吧？因為被奇樂殺死的人都死於心臟麻痺…

……
坦白講，倒下的那一瞬間我也想過「是奇樂嗎？」
……
你是奇樂事件搜查本部的部長…這理由已經足以做為奇樂的下手目標，
因奇樂而起的殺人未遂…可能性並不是0%…
……
幸子，月在這裡，我現在也不要緊了，妳先回家吧。
別告訴粧裕，不用讓她擔心這些事。
那我明天再帶一些日常用品過來，
月，爸爸拜託你囉。
好。
パタン!

話說回來，我認為這不是奇樂幹的…
現在想想，我一直為上司還有部下的事心煩…還要與不曉得何時會被奇樂殺死的恐怖交戰，其實我已經很久沒有好好睡過一覺了。
再加上自己的兒子被懷疑…精神不出問題的人才奇怪吧。
你連這個也告訴爸爸了？
對。
全部都說了。
包括我就是L的事。
沒錯。
他就是L。
為了不讓第三者知道，我們都叫他「龍崎」。
但他的確是L。

這…這小子是真的L…
既然爸爸都這麼說了，那麼至少到目前為止，指揮警察的人就是他……
…只要把這小子跟本部的人全部消除…不對…事情沒這麼簡單，
我不用急…
我應該要慢慢探查…
現在的我只是個擔心自己父親的夜神月…
龍崎…跟我兒子談過之後，他的嫌疑可以洗清了嗎？
不。
老實說，他對奇樂事件的發言太過完美，嫌疑反而更深了。
喂，在我面前就算了，請不要跟我父親說這些影響病情的話。
流河就是太不為別人著想了。
月，沒有關係，與其聽一些模稜兩可的安慰話，不如聽實話來的讓我放心。
況且你雖然有嫌疑，但也還不到「嫌犯」的地步。

就是說嘛，夜神同學對我有點誤會。
之前就已經說過，所謂懷疑只有很輕微的程度。
我可以再說明一次。
十二名到日本搜查的FBI探員被奇樂殺死。
這點可由十二人在12月27日得到檔案，並在當天全部死亡而得到確認。
另外，奇樂隨時都能得知本部的搜查狀況。
不曉得他是如何辦到的，總之本部電腦的安全防範不夠嚴密…
奇樂利用搜查本部的人員取得資料的可能性很高，
奇樂雖然殺了FBI探員，日本的搜查員卻一個也沒死。
…………
原來如此……
由此可以推論，本部裡可能有奇樂的親人。
話說回來，就算是親人，奇樂或許也能若無其事的除掉吧…

此外，有一位FBI探員雷・潘伯。
他生前的行動有值得注意之處。
原本跟他一起待在日本的未婚妻，一位前FBI探員現在也行蹤不明。
茨木病院
所以你才會鎖定北村家跟我們家的家人…
對。
從奇樂潛伏在日本關東這條線索來推測，我只能假設奇樂是日本人，而且對殺害無罪的日本人存有排斥感。
不過既然被殺的FBI探員生前曾經跟蹤日本警察的關係人，那麼奇樂在被跟蹤對象裡的可能性的確很高。

而我也包括在被跟蹤對象之中，難怪要懷疑我了…
流河說得對，沒有別人比我更可疑…
夜神同學的推理能力實在了不起。
每次都既迅速又正確。
我願意協助流河的搜查，
因為爸爸已經證實了流河的身份。
我會抓出奇樂，向你證明我絕對不是奇樂。
………
月，你現在好好唸書，以後再到警察廳工作也不遲。
爸爸，那怎麼會來得及，要等好幾年以後耶。
而且我不是講過嗎？

萬一爸爸有了三長兩短，我絕對會把奇樂送上死刑台。
害爸爸累成這樣的，也是奇樂。
如果我參與搜查能讓案情有所進展，那我一定幫忙。
……
……
這個孩子不可能會是奇樂……
實在是看不出來是在演戲……
不，如果是演的……那就太假了……
夜神同學。
嗯？
夜神同學想像中的奇樂，是怎麼樣的人？
奇樂嗎……
……奇樂是

生活富裕的小孩。
……富裕的小孩？
……很不錯的想法……
假設他真的只要用念力就能殺人…
而一個人擁有這種能力之後——
把它用來殺死罪犯，企圖藉此改善世界…大概只有高年級的小學生到高中生才會有這種想法…
如果是更小一點的兒童，會因為害怕而不敢用，就算用，頂多也只會除掉身邊討厭的人…
如果是成人，應該會用於自己的幸福，巧妙地運用那種能力，想要飛黃騰達或變成有錢人應該都不困難。

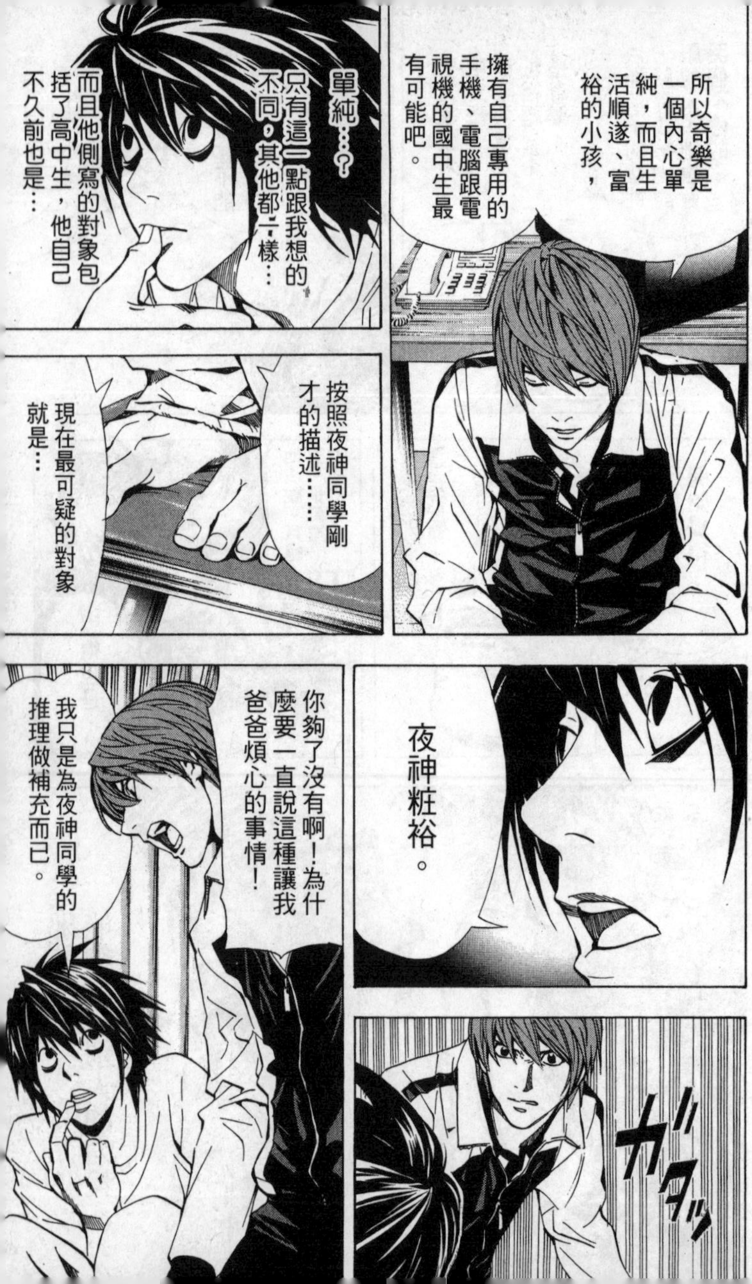
所以奇樂是一個內心單純，而且生活順遂、富裕的小孩，
擁有自己專用的手機、電腦跟電視機的國中生最有可能吧。
單純…？
只有這一點跟我想的不同，其他都一樣…
而且他側寫的對象包括了高中生，他自己不久前也是…
按照夜神同學剛才的描述……
現在最可疑的對象就是…
夜神粧裕。
ガタッ
你夠了沒有啊！為什麼要一直說這種讓我爸爸煩心的事情！
我只是為夜神同學的推理做補充而已。

你們兩個別吵了。
反正我現在不能動，要打架去外面打去。
…人家說天下父母心，但我敢肯定粧裕絕對不是奇樂。
依那孩子的個性，就算殺掉她討厭的人，她也會哭個不停的…
他沒說「月絕對不是奇樂」，咯咯咯。
……
說得也是…
奇樂是邪惡的這是事實…
不過，最近我開始覺得…
邪惡的是能夠殺害別人的力量。

擁有這種能力的人非常不幸，
不管用什麼方式，以殺人換取來的幸福，都不可能是真正的幸福。
夜神先生說的沒錯，
假如奇樂是普通人，而他得到了這種能力，那他真的非常不幸。
這次給龍崎添麻煩了，我會儘早復原，趕快回去工作。
爸爸，你說這什麼話，在完全康復之前，就不要勉強自己了。
就是啊，夜神先生。
我如果就這樣死了，也不會甘心。
趁我還有力氣的時候，一定要把奇樂…
叩叩
會客時間結束了。

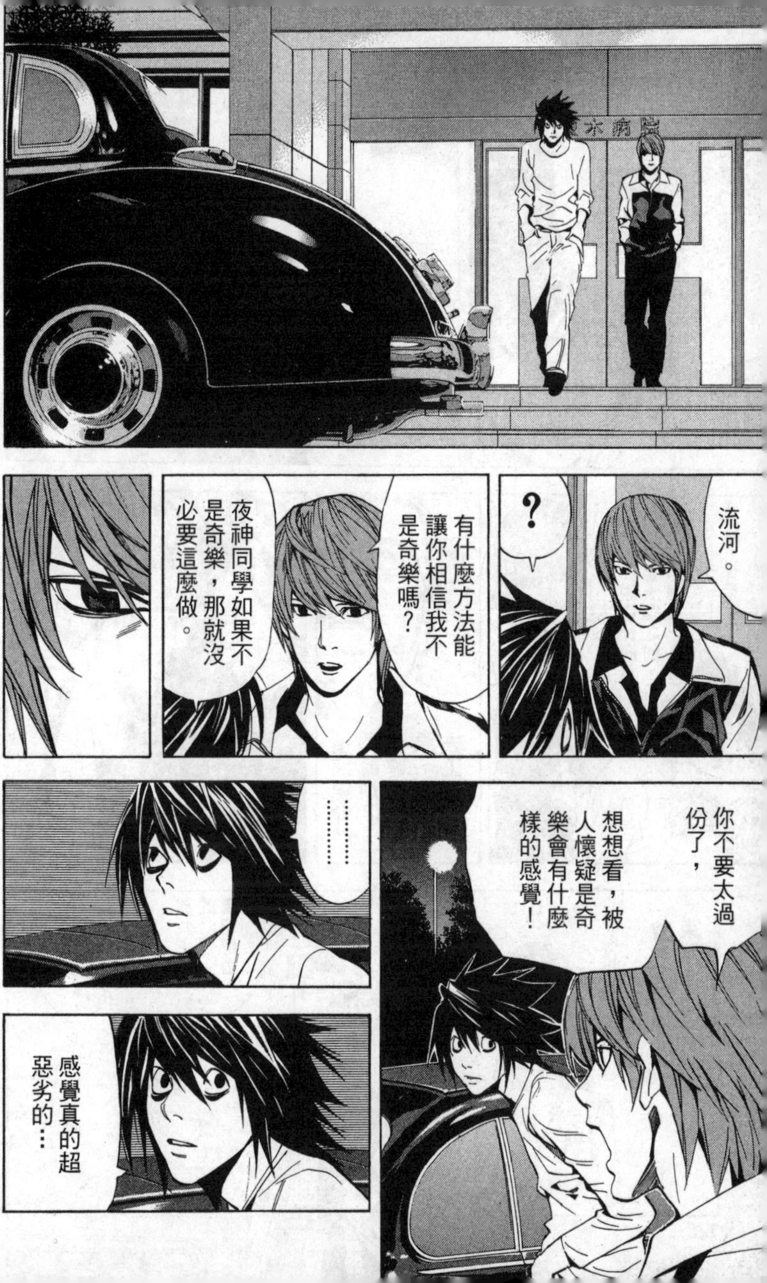
流河。
？
有什麼方法能讓你相信我不是奇樂嗎？
夜神同學如果不是奇樂，那就沒必要這麼做。
你不要太過份了，
想想看，被人懷疑是奇樂會有什麼樣的感覺！
……
感覺真的超惡劣的……

……
既然如此，你可以讓我一個月待在沒電視、什麼都沒有的地方，找個人隨時監視我的行動…
……
普通人為了洗刷自己的嫌疑，會願意做到這種地步嗎？
不可以，無視人權的做法是不可行的…
而且，採納一個有嫌疑的人的提議也太沒常識了。
……那倒也是…
放心吧，只要你不是奇樂，你的清白遲早都能被證明。
今天聽過夜神同學和父親之間的對話以後，我也覺得你不會是奇樂。
請你爸爸要多加保重。
啊，還有一件事。

我說要協助搜查，不過在爸爸康復之前，我可能都無法幫忙。
我知道，再見。
流河早樹——
龍崎——
一直與我為敵的L就是他……
他真正的名字是？……
夜神月——他不是奇樂嗎？……
路克。
嗯？
我撿到筆記本後，獲得了這種能力，但我從來不覺得這是一種不幸。

獲得這種能力對我而言就是最棒的幸福。
我要創造最好的世界。
擁有筆記本對月是幸還是不幸，對我而言都一樣。
不過…
一般被死神纏上的人類，好像都會變得不幸。
那路克這次可以見識到非一般的模式囉。
咯咯…那就先謝了。

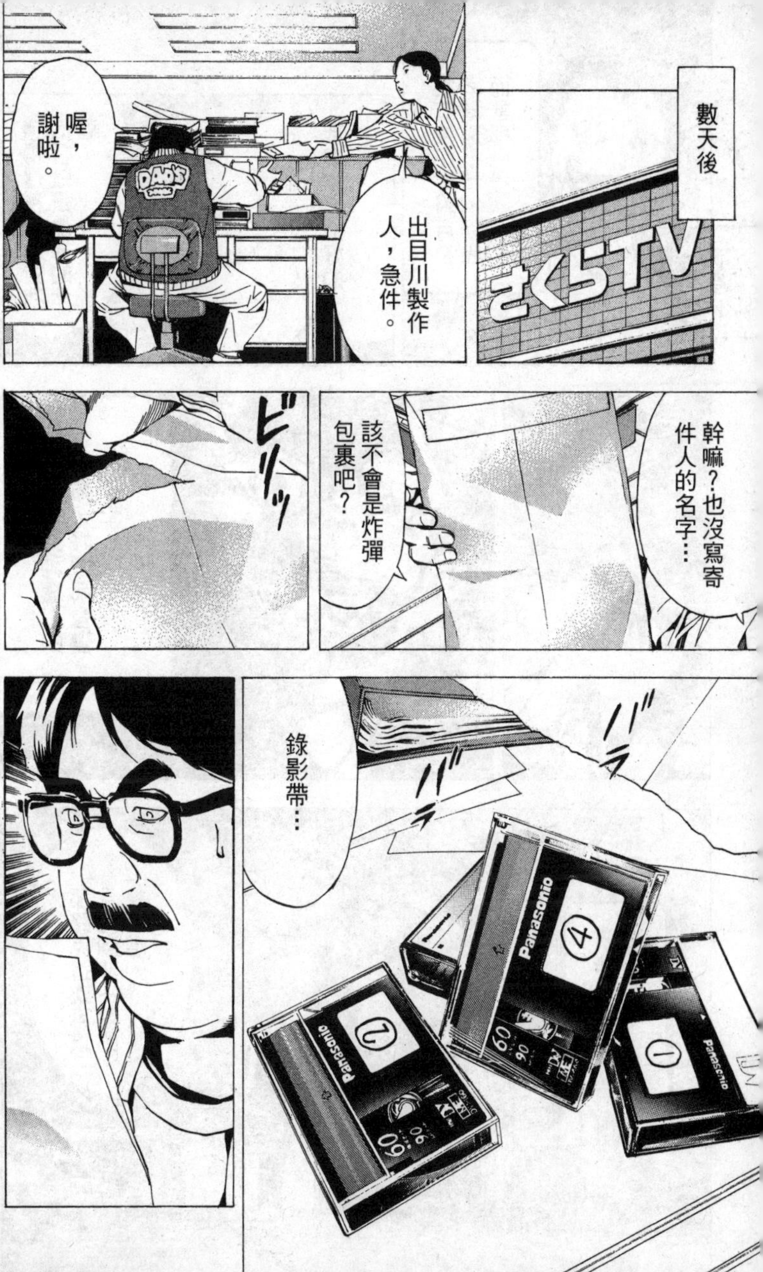
數天後
さくらTV
出目川製作人，急件。
喔，謝啦。
幹嘛?也沒寫寄件人的名字…
該不會是炸彈包裹吧?
ビリッ
バラ
バラ
錄影帶…
Panasonic
④
Panasonic
②
Panasonic
①

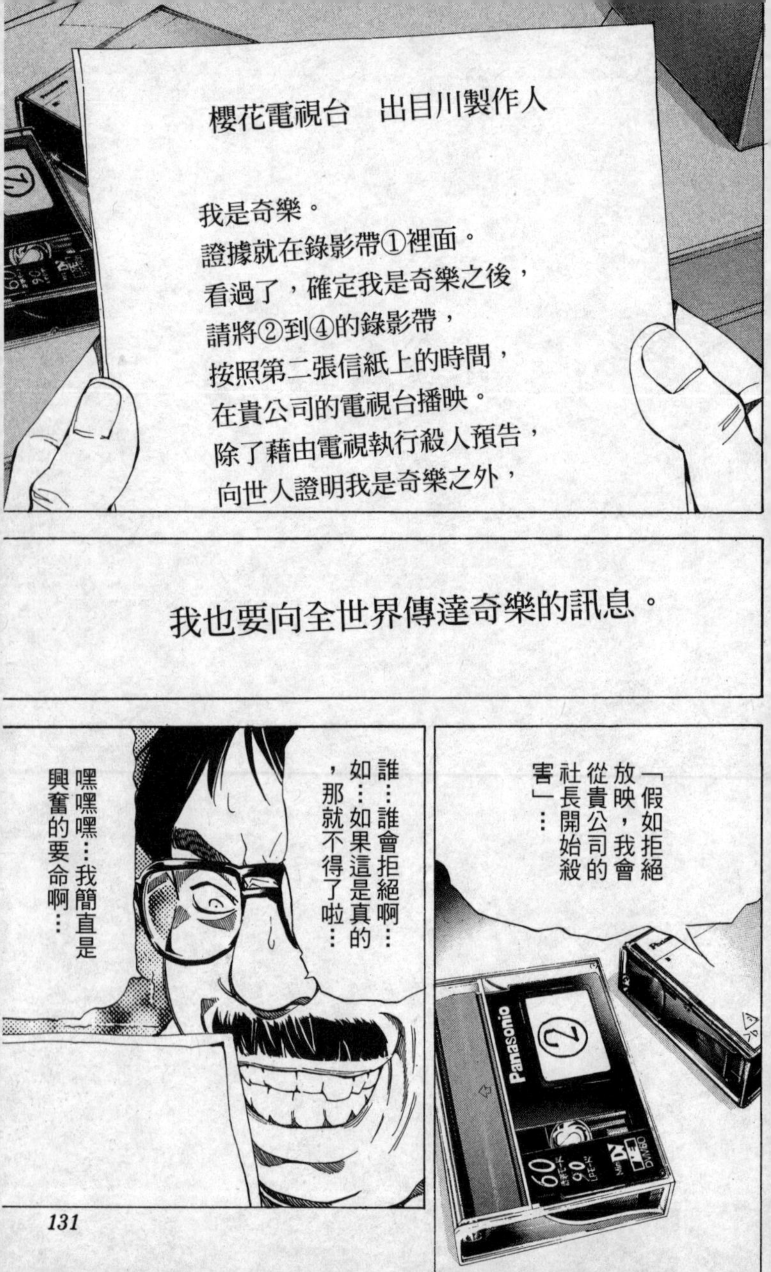
櫻花電視台　出目川製作人
我是奇樂。
證據就在錄影帶①裡面。
看過了，確定我是奇樂之後，
請將②到④的錄影帶，
按照第二張信紙上的時間，
在貴公司的電視台播映。
除了藉由電視執行殺人預告，
向世人證明我是奇樂之外，
我也要向全世界傳達奇樂的訊息。
「假如拒絕放映，我會從貴公司的社長開始殺害」…
誰…誰會拒絕啊…如…如果這是真的，那就不得了啦…
嘿嘿嘿…我簡直是興奮的要命啊…
Panasonic
②

page. 23 激走

關於南空直美這方面…
還是只有飯店人員那句證詞「12月27日深夜以後就沒回來了」…
HOTEL
是不是應該做公開搜查比較好？
一、兩個警察再怎麼調查，能獲得的線索總是有限。
以奇樂相關事件的型態做公開搜查，要是她還活著，就有被奇樂殺害的危險。
要公開的話，就不能說跟奇樂有關，而且也要用畫像代替她的照片。
嘖，真難處理…不說跟奇樂有關就提不起大家的注意…
但就算引起注意了，大家又會因為害怕奇樂而不敢多說。

不過…人都已經失蹤四個月了…八成已經死了吧…
死人不會多嘴啊…那繼續搜查還有意義嗎…
就算她已經死了，也可能有別人從她口中聽說過什麼，
一直找不到遺體也很奇怪，要是找到了，或許能從這點得到什麼線索。
真有人聽說什麼的話，應該早就出面跟警方聯絡了吧。
龍崎！
怎麼了？
櫻花電視台…出大事了。
嗶。

因此，我們是奇樂的人質，而我們也以新聞人的使命感在做這次的報導。
以下播映的錄影帶絕對沒有造假，也絕對不是惡作劇，請各位觀眾一定要了解這點。
5:54
キラからのメッセージ
4本のビデオ
奇樂的人質？
什麼意思啊？
四天前，本節目的製作人收到了四卷錄影帶。我們十分肯定，錄影帶是由奇樂寄來的。
收視率60%……不，至少會衝到70%……
第一卷錄影帶的內容，是數日前被逮捕的町葉青一、青次兩名嫌犯的死亡時間預告。
如同他的預告，昨日19時，這兩個人都因為心臟麻痺死亡。
這種事只有奇樂才能做到，所以我們判定這的確是奇樂寄來的東西。
……如果這是真的，那確實只有奇樂才做得到……

奇樂指示我們要在今天下午5點59分公開放映第二卷錄影帶。
雖然我們還沒看過內容，但這是奇樂向電視機前的觀眾證明身份的殺人預告——
以及奇樂要傳達給全世界民眾的訊息。
……
からの
セージ
本のビデオ
這…真的不是造假的嗎？
不會吧…開這種玩笑太惡劣了…
5時59分到了，各位請看。

我是奇樂。
559
……機械式的含糊聲音，手寫的文字……明顯是以家庭用攝影機拍出來的影像……
字體跟我在電視上自稱L用的一樣……
對抗意識嗎？還是他只想得到這個？無論是什麼理由，都太幼稚了……故意的嗎？
這卷錄影帶如果準時在4月18日下午5點59分播放，
現在就是下午5點59分，38、39、40秒……
請將頻道轉至太陽電視台，
新聞播報員日日間數彥先生會在6點整心臟麻痺死亡。
喂…喂。
不會吧……
轉台！
嗶。

6:00
!
請轉回原來那台。
渡，再搬一台電視機過來…不，兩台。
是。
在日日間先生的報導裡，他一直主張奇樂是邪惡的，這是報應。
一個人還不足以作為證明，會有另一名犧牲者，下一個目標，是同樣是在錄製現場節目，而且一直否定我的評論家……
龍…龍崎…
轉24頻道！

……
奇樂說這是他要給全世界民眾的訊息…
不趕快中止這個節目，事情就糟糕了！
打電話去櫻花電視台！
現在，我想大家已經相信我是奇樂了。
不…不行，電視台的每支電話都占線…
電視台裡的朋友手機沒開！
嗚…
可惡！我直接去電視台阻止他們！
宇生田先生！

請各位仔細聽好，我並不想殺害無罪的人。
我憎恨邪惡，愛護正義，警察也不是我的敵人，而是我的夥伴。
……
……
奇樂……
我的願望，是創造一個沒有惡的世界。
各位如果也有同樣的想法，那事情就很簡單。
オオオオ
別試圖逮捕我，只要這樣，無罪的人就不會死。
オオ
可惡！
就算有人不同意我，只要不在媒體上宣揚，那我也不會動手。
請各位耐心的等待，人人都能認同的世界很快就會降臨。

病院
我做得到，讓這個世界變成以內心祥和的人為主。
……
啪擦
老公…
看這種東西傷身體，早點休息吧。
啪擦
幸子…我是奇樂事件的搜查本部長…

さくらTV
可惡！居然給我鎖起來！
我是警察！快開門！
混帳東西——！
カチャ

嗚！
ドザ…
ガチャ
……可…惡
請各位試着想像，一個由全世界警察與我來守護的世界……在那裡不會有惡的存在——
各位國民請保持冷靜，關於櫻花電視台播放的節目，在得到更詳細的情報之後…
6:22
緊急插播特別節目，這裡是櫻花電視台前的現場轉播。

我們得到情報，有人倒臥在櫻花電視台的大門口。
さくらTV
這…這是現場轉播，我們工作人員雖然不能出現在各位面前，但這的確是電視台前的現場影像！
宇生田！
可…可惡——奇樂幹的嗎？
相澤先生，不可以，你想去哪裡？

當然是去宇生田那裡，我還要把錄影帶拿回來。
現在過去那邊，一定會死。
龍…龍崎…那你是叫我乖乖待在這裡看電視？
我只是請你冷靜下來。
我也很想阻止他們繼續放映錄影帶。
要是能把那些錄影帶全數押收，我們從中獲取奇樂線索的可能性也很高。
但如果宇生田先生是被奇樂所害，你到那裡只會有相同的遭遇。
利用惡來創造沒有犯罪的世界…
救護隊戰戰兢兢地把他運走了。
現在非常危險，請各位不要靠近櫻花電視台。

所以說，偽造的警察手冊也沒有用！
我們的真實姓名是不是已經被奇樂知道了？
有這個可能。
但如果是這樣，奇樂一口氣殺光搜查他的人不是更快嗎…
我之前的推理「奇樂殺人需要知道長相及姓名」，而現在看來，「只知道長相也能殺人」的可能性並非是0…
目前可以肯定的是…
宇生田先生抵達那個地方之後就遇害了。
而且是在其他台播映櫻花電視台大樓的影像之前。
所以說，奇樂可能就在電視台裡或在能夠監視電視台出入人員的場所。
也有可能是他自己在某處裝設了監視攝影機。

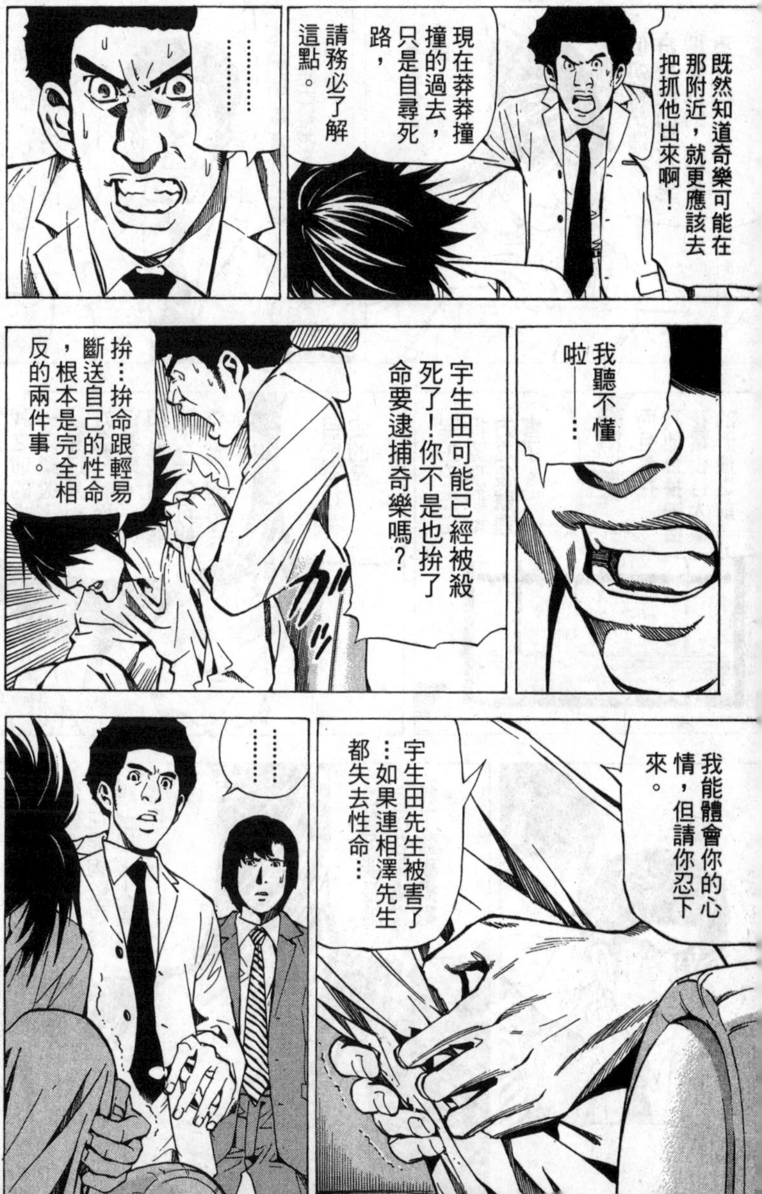
既然知道奇樂可能在那附近，就更應該去把抓他出來啊！
現在莽莽撞撞的過去，只是自尋死路，
請務必了解這點。
……
我聽不懂啦——……
宇生田可能已經被殺死了！你不是也拚了命要逮捕奇樂嗎？
拚…拚命跟輕易斷送自己的性命，根本是完全相反的兩件事。
我能體會你的心情，但請你忍下來。
宇生田先生被害了…如果連相澤先生都失去性命…
……

カチャ
ギー!
……
さくらTV
櫻花電視台前空盪盪的，難以想像的冷清。

2-6

DEATH NOTE

How to use it

XIV

- When the owner of the DEATH NOTE dies while the Note is being lent, its ownership will be transferred to the person who is holding it at that time.

若所有者在借出死亡筆記本的期間死亡，
則所有權自動轉讓給借用者。

- If the DEATH NOTE is stolen and the owner is killed by the thief, its ownership will antomatically be transferred to the thief.

死亡筆記本遭竊，且所有者被竊賊殺死的時候，
所有權自動轉讓給竊盜者。

警察是否願意協助我建立新的世界？答案是YES或NO…請在四天後…4月22日下午6點的新聞時間公開發表。
無論答案是YES或NO，我都準備了不同的錄影帶給電視台，於公佈當日的6點10分播放。
KIRA
page. 24 盾

警方的公開發表，不需要有人在電視上出面。
在得到更詳細的情報之後…
！
啊！有…有一輛車闖進去了！闖進櫻花電視台！
好像是警方的車輛！是戒護車嗎…
什…什麼？
唔……
這樣做，就能避免他人看到自己而進入電視台。
但如果宇生田是被奇樂所害，
奇樂很可能還在電視台裡…這是很危險的賭博…
不過…那是誰啊？是我們這邊的人嗎？
既…既然是警方的車輛…

哈…
呼…
播送奇樂錄影帶的放映室在哪裡？
二…二樓的G－6放映室…

哈…
我是警察！
馬上中止播出！
我叫你們馬上停播奇樂的錄影帶！
警…警察先生…請等一下…
如果停止播出，我們都會被奇樂殺死…
少廢話！現在已經波及其他人了！

呃…那個…今天的份已經播完了…
原來你就是出目川…警告過好幾次，你卻不知悔改，一直誇張報導奇樂的消息。
……
可…可是我…也沒想到事情會變這樣…
你就饒了我吧…哈哈…
收到奇樂錄影帶的製作人就是你？
…對…是我…
把錄影帶交出來！把你收到的包裹整個給我！
我說過了，這樣做我們會死啊…

拿出來！
交給我的話，至少你現在不會死！
チャッ
你…你想幹什麼！你瘋了嗎？
這是你無視警方忠告，把奇樂當大明星一樣做報導的結果。
全部都是你自作自受。
等警方看過錄影帶，判斷公開放映也沒問題的話，就還給你。
……
好…好啦。

這是他寄來的郵包，兩張列印的信紙，數位錄影帶①到④，全部就這樣。
看起來是母帶沒錯…可是你們會用這個放映嗎？
拷貝的錄影帶也全部拿出來！
不准再裝神弄鬼！
好…好啦好啦，我拿出來…全部拿出來！
不要拿槍在那裡比來比去…你根本就瘋了…
哇！

しばらく
放送を中断
させて頂き
警方尚未對這起事件發表任何談話…
啊…現在終於有一台警車抵達櫻花電視台前面了！
不只我們…有其他警察也挺身而出…
是啊，
搜查本部的人只是警察的一小部份而已…
相澤先生，你有北村次長的手機號碼嗎？
啊，有。
打電話給他，接通了請拿給我。
嗶嗶

這麼嚴重的狀況…一輛警車可能…
嗶嗶嗶嗶
我是北村…相澤，我說過別打電話…
有事拜託您，
看到這個節目，有的警察會在正義感的驅使下站出來，
若是沒有上級統一指揮，可能會發生慘劇。
我是L。
呃…不過…我們對這件事…
啊！趕到現場的兩名警官倒下了！
我…我們也要準備避難，留下攝影機…保持距離再做報導…
!
……
好吧，L，
告訴我應該如何指揮。

是…沒錯，把身體遮住…不要讓人看到長相…
嗶嗶嗶
是夜神先生。
耶？局長？
次長，那就麻煩您…不，請先不要掛斷電話。
渡，回電給他，撥通了給我。
嗶嗶嗶
龍崎！我是朝日！
夜神先生，是我，果然是你開戒護車…
對…我實在看不下去…
錄影帶已經全數押收了，我馬上拿過去，你在哪裡？

你的身體不要緊嗎？
何止不要緊，我這輩子從來沒這麼有精神過。
怎樣做比較好？正面離開雖然危險…開剛才那輛車應該沒問題吧？
請等一等。
次長，闖進去的人是夜神局長。
夜神？他不是住院了嗎…
……
L！轉告夜神「用不著五分鐘」。
夜神先生，請在那裡休息五分鐘，然後直接從正面的玄關走出去。
…從正面直接走？

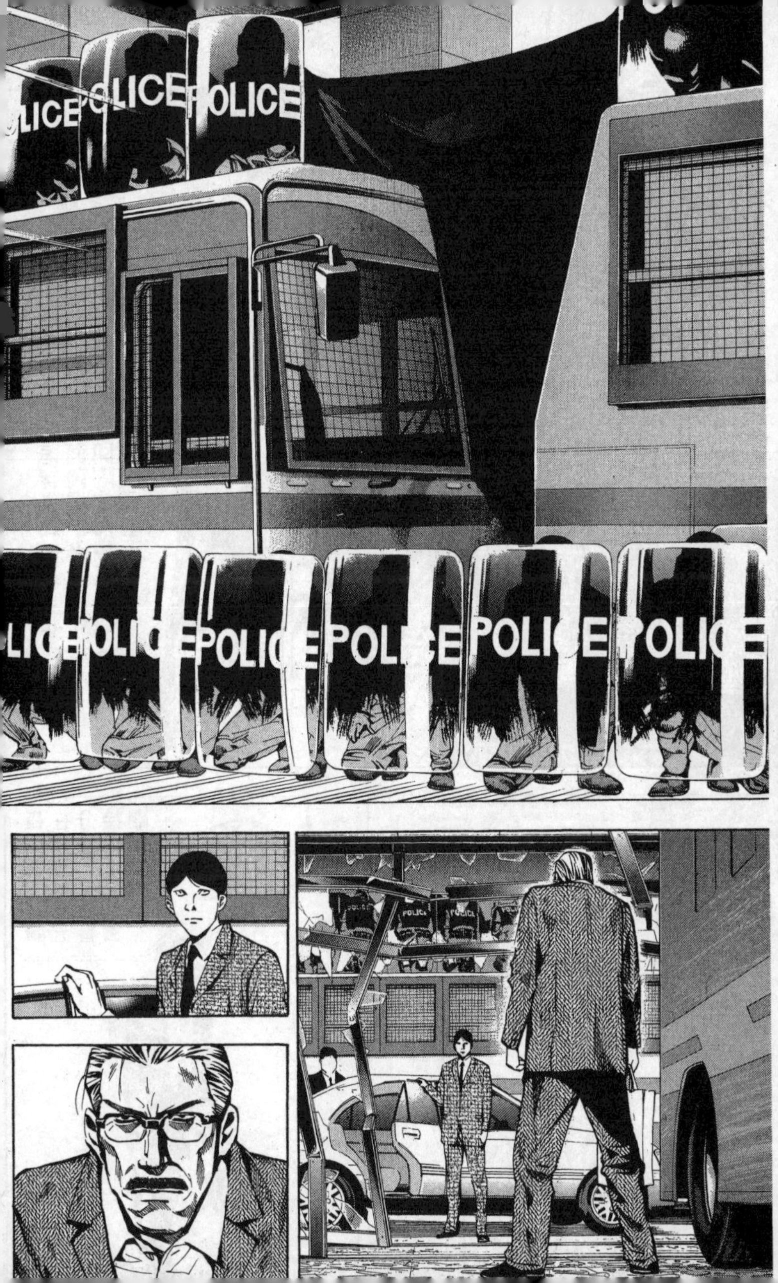
POLICE

聽好了！不能露出縫隙！不要讓對方看到自己！奇樂不在電視台裡面！只可能在外面！
さくらTV
POLICE
大型輸送車
謝謝…
我一個人開車過去就好。
是，辛苦了，請一路小心。
ガチャ

さくらTV
ブオオオオオ
キキキッ
奇樂很可能就在我們視野可及的範圍裡。
不要露出自己的身體，小心搜尋。
西、南兩側的道路全部封鎖了。
北側人員不足，請指引那位跨越管轄區的勇士往北側走。

警方進入全面戒備的狀態，櫻花電視台一帶的道路全部被封鎖了！
警方明顯擺出與奇樂對抗的姿態！不回應奇樂的要求！警方沒有屈服！
NHN
警方沒有接受奇樂的呼告，擺出了對抗的姿態！
我…我要鼓起勇氣說…
這是正確的！這是正確的選擇！這是法治國家所應當採取的正確姿態。
我叫做田中原高樹，NHK的黃金新聞主播，田中原高樹。

局長！
夜神局長……
龍崎…很抱歉我擅自行動…好像太衝動了一點…
不會。
奇樂寄來的郵包、錄影帶全在這裡。
さくらTV
讓我稍微休息一下…
你…你不要緊嗎…局長…還是回醫院…
夜神先生…你所做的事絕對不會白費…

是…是………
局長和我們在一起，他正在休息，不要緊了，請不用擔心。
大阪的郵戳…
不過…奇樂可以操縱他人的死前行動…不需要親自去大阪也能投遞…
相澤先生，可以把這個送去鑑識嗎？
是。
鑑識小組應該會有辦法。
他們能從指紋、被舔過的郵票等小地方找出蛛絲馬跡…販賣這種信封、錄影帶的區域，甚至攝影機都可以限定出範圍…
從影像也可能找出線索…
當然我會切除聲音，讓他們在不了解錄影帶內容的狀況下調查。
麻煩你了，
我先看這些拷貝的錄影帶，確認內容是什麼。

隔天
ザー…
ザー…
怎…怎麼樣？龍崎…
很有意思的錄影帶。
如果警方願意協助奇樂，回答是YES，那就放映③的錄影帶。
回答是NO就放映④。
コピー②
コピー③
コピー④
③裡面是詳細的條件，
簡單來說，就是要報導更多犯罪者的消息，即使是傷害他人、虐待弱者之類的輕微犯罪，也要儘可能的公佈出來。
然後由奇樂決定是否施予制裁。
此外，為了證明警方合作的誠意——
コピー③

警察幹部和L要站到螢光幕前，公開發表「協助奇樂」的宣言。
……
我和幹部的真面目一旦曝光，以後警察如果輕舉妄動，
他就會馬上動手殺人。
奇樂在行動之前，應該已經算準了警方不會合作。
昨天警方所採取的對策，不管誰都能預料得到。
……
那麼…回答「NO」的話，錄影帶④的內容…
說法不同，但意思差不多。
與其我用講的，不如直接用看的吧。
夜神先生，我們四天後的回答當然是「NO」。
嗶
所以請你允許櫻花電視台播放這卷④的錄影帶。

四天後 4月22日
非常遺憾，警方的回答是NO。
不過，新聞報導還是要像以前一樣，否則警方及媒體關係者全都會受到制裁。
此外…
既然警方已經跟我宣戰，那事情不能就此算了。
首先，我的敵對者，搜捕我的日本警察廳現任長官——
或居於指揮地位的L，二者之一必須送命。
不幫助我建立和平的世界，那長官或L就得犧牲，請在四天之內做好決定。

我已經知道長官的相貌，所以沒有問題，如果要犧牲L，
四天後，請L在櫻花電視台晚間6點的新聞裡，做十分鐘的演講，由我來判斷L的真偽。
假如我判斷那個人不是L，那我要犧牲數名警察幹部做為代價，
請不要說謊。
再度強調，我並不想殺害無罪的人。
還有四天的時間，請仔細考慮。

不跟我合作的代價，就是得交出L或日本警察廳長官的性命，請在這四天之內好好考慮。
不要忘記，如果交出L，而我判定他是假的，那麼就有數名警察幹部會被犧牲。
哈哈。
KIRA
神果然是站在我這一邊…
只不過這次的神——
是個死神。
咯咯…好像是喔。
6.15
KIRA
有另一位死神降臨人間界…
而且那位死神的死亡筆記本——

在一個支持奇樂的人手上。
這樣想，絕對沒有錯…
page. 25 笨蛋

這個冒牌奇樂…
只有我知道他是假冒的…
問題是，這個人是敵是友？
不管是哪一邊…
都要看我能否善加利用這傢伙。
連趕到電視台的兩名警官都死了，那個人很可能交換了死神之眼。
所以說——
那個奇樂的殺傷力遠遠超過我…

善加利用這傢伙，不但能藉此證明我不是奇樂，還能順便除掉L。
不…從現在的狀況看來，就算我什麼都不做，L也會在四天後喪命。
但是…
寄送錄影帶、拿警察幹部當犧牲品…
這些卑劣的做法等於是在降低奇樂的格調，實在不可饒恕…
不能一直放任他在外面亂來…
而且L……
那傢伙現在一定比以前更拚命…
如果冒牌貨被抓，讓人知道了死亡筆記本的存在，情況就不妙了。
……

現在對我最理想的是…
協助搜查本部的行動，同時掌握L和冒牌奇樂的動向…
L並沒有拒絕我加入本部，爸爸也回去工作了，這點沒問題。
如果冒牌貨出了紕漏，我就得搶在L之前收拾冒牌貨，奪走筆記本。
誘使冒牌貨殺了L，營造他想要改變世界的心態。
而這一切…
都要在我不表明長相及姓名的情況下接觸冒牌奇樂，進而操縱他。

隔天
4月23日
ガチャ
パタン
局長，辛苦了。
果然不出所料…龍崎…
各國首腦擅自決定…交出L…
而且絕對不能派假的替身…一定要讓真正的L出現在螢光幕前…

……
不幫忙就算了，連個應付的對策也不想，什麼都照奇樂講的辦…
這是最正確的選擇。
警察絕對不應該協助奇樂，
要犧牲警察廳長官或我的性命，當然是選我，
因為是我主動去挑釁奇樂，說要逮捕他。
這是正確的判斷。
可…可是…這樣L…不，龍崎就會…
我比較煩惱的是…就算我按照指示出面了…
如果奇樂是一個對我一無所知的人……

我很擔心對方會不會相信我是L。
說得對耶…
喂…
我會努力讓對方相信啦…
如果對方不信，那就有警察幹部會被犧牲…我也不希望如此。
要證明自己是L其實很不容易…不曉得奇樂是怎樣看待這點…
……
反正還有兩天的時間，我會想出一個好的對策，
我也還不想死啊，
而且…

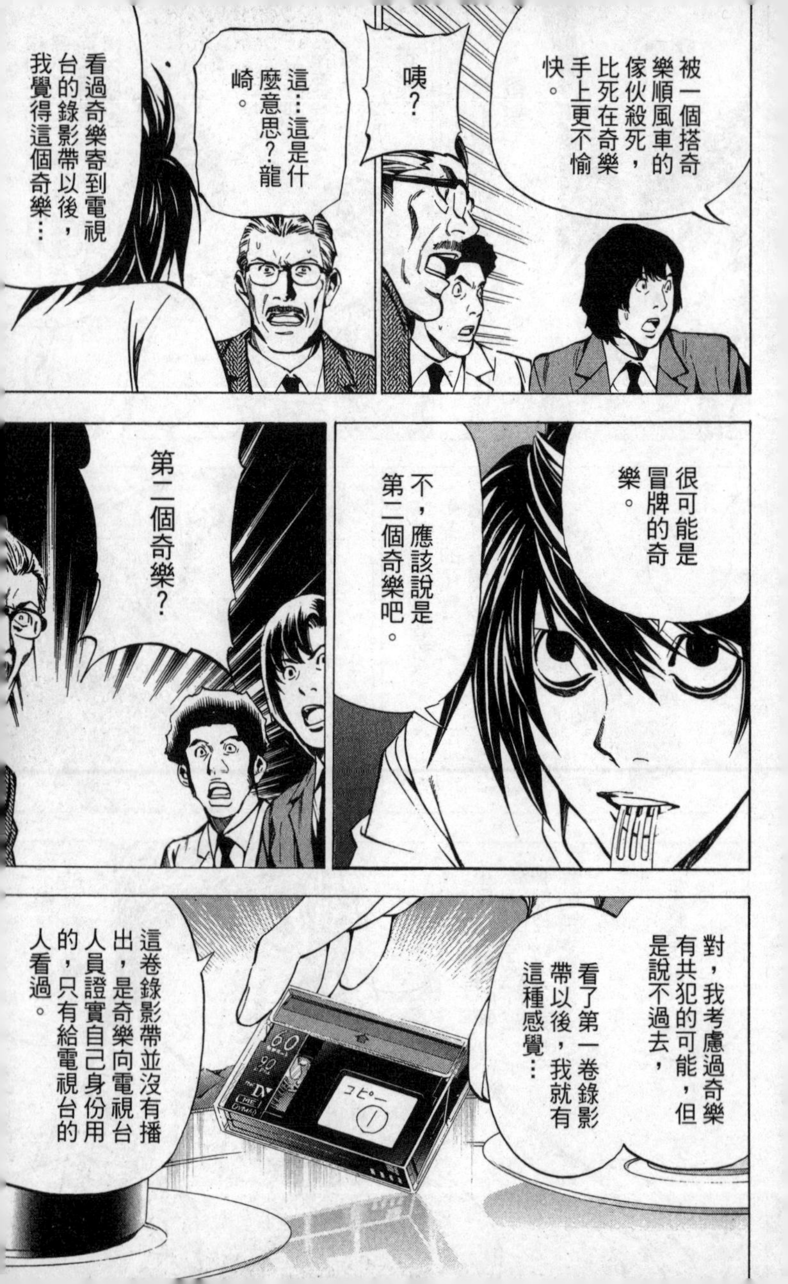
被一個搭奇樂順風車的傢伙殺死，比死在奇樂手上更不愉快。
咦？
這…這是什麼意思？龍崎。
看過奇樂寄到電視台的錄影帶以後，我覺得這個奇樂…
很可能是冒牌的奇樂。
不，應該說是第二個奇樂吧。
第二個奇樂？
對，我考慮過奇樂有共犯的可能，但是說不過去，
看了第一卷錄影帶以後，我就有這種感覺…
這卷錄影帶並沒有播出，是奇樂向電視台人員證實自己身份用的，只有給電視台的人看過。
コピー

信封上的郵戳是4月13日，郵包第二天就寄到電視台，而在第三天，如同錄影帶的預告發生了殺人事件。
？
三天前預告的事情成真，不就是最好的證明嗎…
我不相信那個是奇樂。
？？
你…怎麼會這樣想…請解釋一下…
我也看過錄影帶，可是我…
你們不覺得這卷錄影帶的預告殺人，犧牲者跟以往的不大一樣嗎？
……！
不僅是他們犯的罪行很輕…
持有毒品的藝人什麼的…只在女性雜誌上有過大篇幅的報導…
4月13日的時候，也只有晨間綜藝節目報導了實際的調查結果。
不覺得奇怪嗎？

雖然說，那位出川目製作人和電視台的人都會看那一類的八卦新聞，所以不會因此而起疑…
但這很明顯的不同以往。
真正的奇樂不會挑那種雜碎下手，
他可以按照預告時間，制裁他過去尚未處決的凶惡罪犯，這樣做的可信度會更高。
所以說，第二個奇樂為了讓別人相信自己是奇樂，
在電視台的人看錄影帶之前，他不能在預告裡使用可能被真的奇樂殺死的犯罪者。
因為凶惡罪犯先被奇樂殺死的可能性很高，如果時間不對，別人就不會相信他是奇樂。
…不過…也可能是他故意挑選電視台人員，容易確認的犧牲者…
光憑這點，很難肯定有第二個奇樂…
唔…
龍崎…第二個奇樂存在的可能性究竟有多高…？

這次超過70%。
!!
基本上，這種手法我就不喜歡…不像奇樂的作風…
不像…？
錄影帶的製作實在太粗操…不只是字做得差勁…
聲音是以其他機器播放出來，再用手提攝影機的外部喇叭收音…在可能收到周圍雜音的部份還倒帶重錄…
一般應該以專用回線連接錄音機跟攝影機，不會使用外部喇叭。
這甚至連幼稚都稱不上。
此外，威脅電視台、拿警察幹部當擋箭牌…這類高壓式的做法…
很明顯會製造騷動，引起社會反感…這些他不可能不知道，實際上，他連無罪的新聞播報員都殺了。
……如果我是奇樂，對這些事一定很生氣。

到目前為止，除了追捕他的人之外，奇樂一直避免犧牲無辜。
他一貫的做法，是將自己的想法逐漸滲透給世人。
奇樂並不希冀以恐懼進行獨裁。
那…這個指紋會不會…
嗯？指紋？
從信封的郵票、錄影帶上面，找到了電視台人員以外的共通指紋。
我們想，奇樂再怎麼樣也不會留下指紋…
就算有，也可能是別人的，目的是擾亂偵查…
這個…很有可能是第二個奇樂的指紋。
一般來講，不留下指紋是比較好的做法，但是…
假設真的有第二個奇樂，那他遠比不上奇樂聰明，而且很輕率，
他可能根本沒想過錄影帶會被警察押收。

不過…即使把目標侷限於日本，也不可能收集到所有人的指紋，要從這個找出兇嫌並非易事，只能在抓到以後當作驗證用。
話說回來…
這個指紋很小耶…
很小？
小孩子…或是嬌小的女性…
對了…在醫院裡，我兒子側寫奇樂的形象就是「富裕的小孩」…
……
無論是奇樂或第二個奇樂，可能都被令郎的推理說中了。
假如真有第二個奇樂，我想…

即使奇樂跟第二個奇樂的殺人能力有所不同…
只要能抓到其中之一，多少都能得到追捕另一個的提示。
在我看來，奇樂本人要比第二個奇樂更狡猾。
如果我是奇樂……
我會搶在警方之前，查出第二個奇樂是誰。
估量對方認同自己的程度，儘可能的利用…
最後，比警方早一步除掉第二個奇樂…
這是警察與奇樂之間的第二個奇樂爭奪戰…
此外，也是我們逮捕奇樂的好機會。

夜神先生。
要是令郎有空，能請他協助搜查嗎？
……
這是指…我兒子的嫌疑已經完全洗清了？
不，我沒說他已經洗清嫌疑。
令郎的推理能力很值得期待……
不，應該說…

想逮捕第二個奇樂，令郎應該能提供很大的助力。
……
……
……
原來是這個意思……
……我兒子說過要幫忙，我沒有理由阻止他。
……
我們也沒關係……
以令郎的正義感及使命感，他一定會提供協助。
不過……
這次的奇樂可能是冒牌貨的事，請暫時保密。
就以追捕連續殺人嫌犯奇樂的名義，麻煩你了。

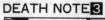

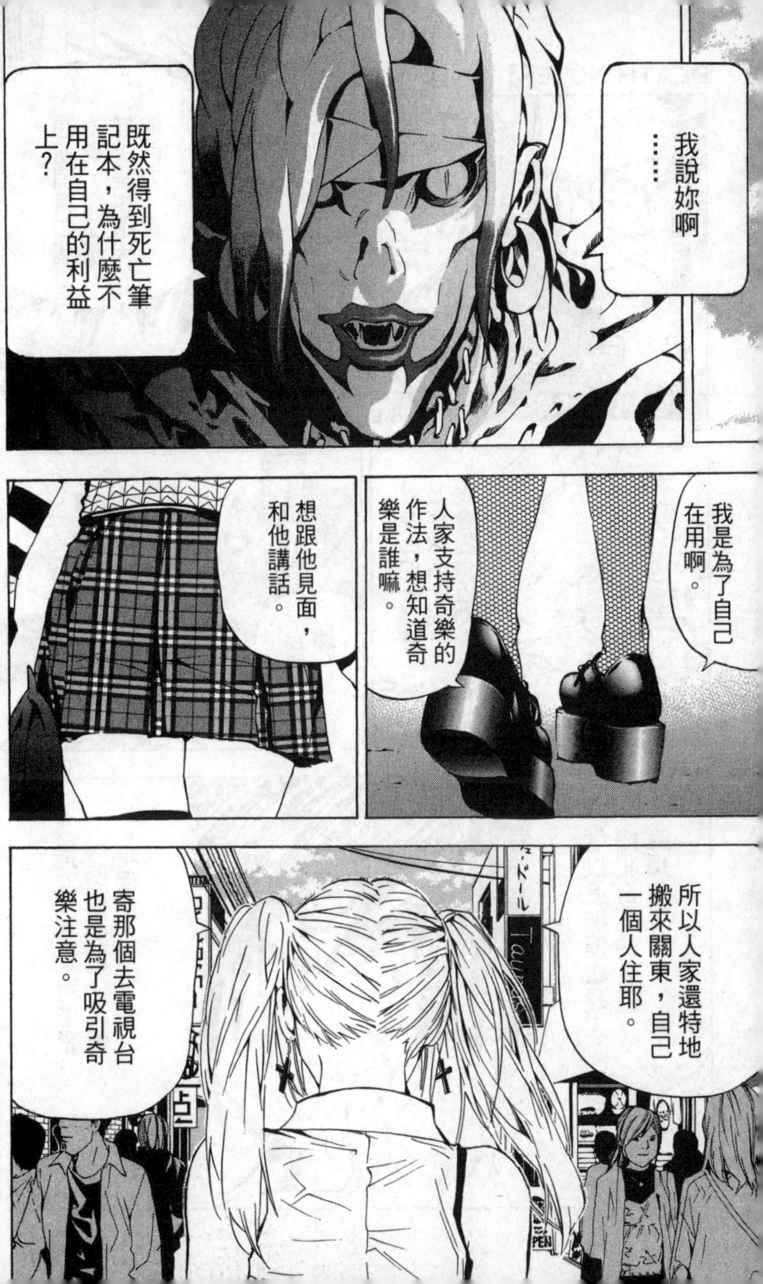
我說妳啊……
既然得到死亡筆記本，為什麼不用在自己的利益上？
我是為了自己在用啊。
人家支持奇樂的作法，想知道奇樂是誰嘛。
想跟他見面，和他講話。
所以人家還特地搬來關東，自己一個人住耶。
寄那個去電視台也是為了吸引奇樂注意。

奇樂一定會產生興趣。
說不定還願意跟我見面唷。
COUNTRY STORE
玩這種遊戲太危險了。
妳可能會死喔。
不要緊，奇樂應該是個單純又溫柔的人。
萬一有什麼意外，人家海砂換了眼睛，也比較強呀。
3激走（完）下集待續

DEATH NOTE

HOW to USE IT

XV

- When the same name is written on more than two DEATH NOTES, the Note which was first filled in will take effect, regardless of the time of death,.

若有兩本以上的死亡筆記本記載了同一個人的姓名，
無論記入的死亡時刻為何，都以先寫上的筆記本為優先。

- If writing the same name on more than two DEATH NOTES is completed within a 0.06-second difference, it is regarded as simultaneous; the DEATH NOTE will not take effect and the individual written will not die.

若有兩本以上的死亡筆記本記載了同一個人的姓名，
且寫入的時間差在0.06秒之內，會被視為同時寫入。
此時在死亡筆記本上寫的內容全部無效，
被寫上姓名的人類也不會死。

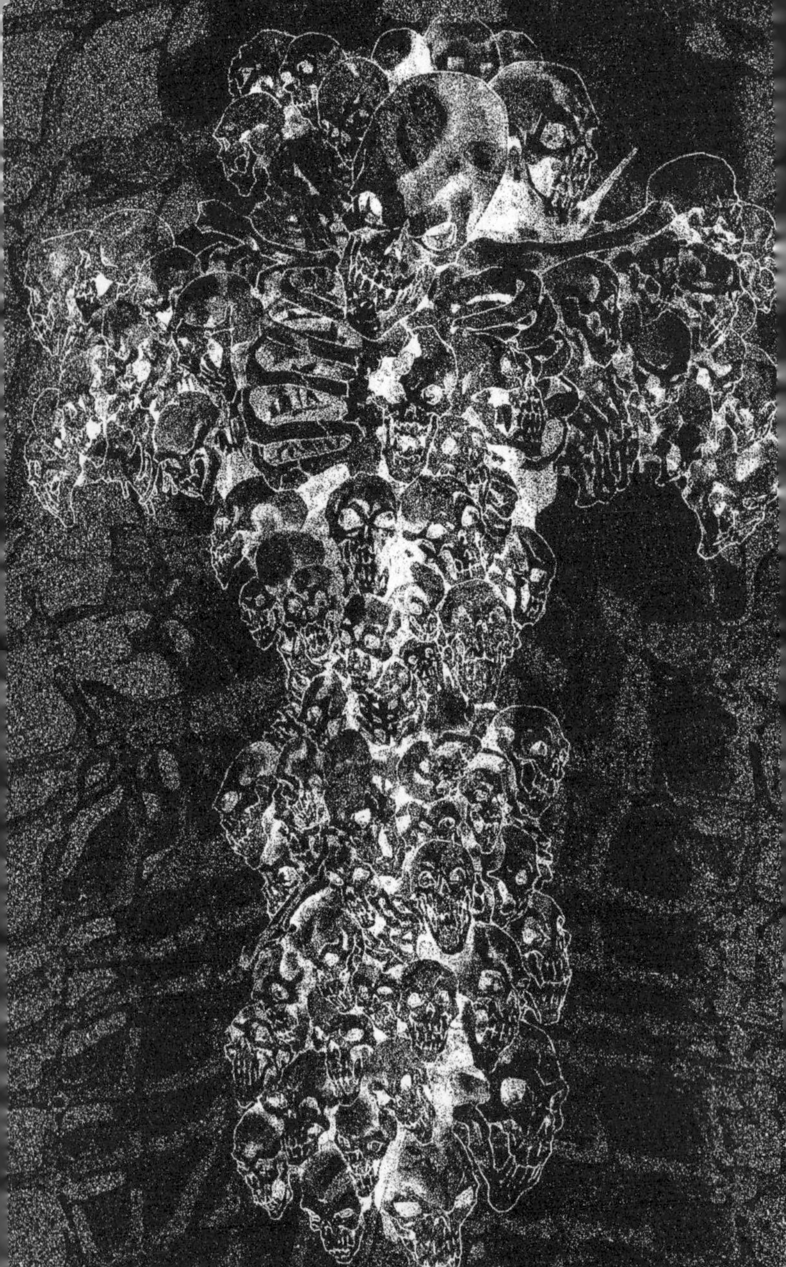

JC16603 C0P196

死亡筆記本③

原名：DEATH NOTE③

■作　　者　大場 鶇／小畑 健
■譯　　者　張芳馨
■執行編輯　陳心怡
■發 行 人　范萬楠
■發 行 所　東立出版社有限公司
■東立網址　http://www.tongli.com.tw
台北市承德路二段81號10樓
☎(02)25587277　FAX(02)25587296
■劃撥帳號　1085042-7（東立出版社有限公司）
■劃撥專線　(02)28100720
■印　　刷　嘉良印刷實業股份有限公司
■裝　　訂　台興印刷裝訂股份有限公司
■法律顧問　曾森雄律師
■2004年12月15日第1刷發行
2006年9月30日第10刷發行

日本集英社正式授權台灣中文版

ISBN 986-11-5555-4（價格以封面上標示為準）

TAIWAN CHINESE EDITION, FOR DISTRIBUTION AND SALE IN TAIWAN ONLY
台灣中文版・僅限台澎金馬地區發行販售